W. R. Hoffmann · W. Hubert · U. Lottring

Cocktails

EDITIONS SOLINE

TABLE DES MATIERES

PREFACE

Cet endroit du comptoir attirait toujours de façon magique. Si dans l'Ouest des Etats-Unis la population rustre et robuste se désaltérait encore avec du whiskey pur, la population "plus distinguée" de la côte Est moins sauvage commençait à cultiver l'art de boire.

Là-bas, les bars étaient remplis de ceux qui cherchaient compagnie. Comme il y avait ici déjà toutes sortes de cartes de boissons, on y buvait des choses très différentes. Jusqu'à ce qu'un Vendredi soir un patron de bistrot surchargé de travail perdit patience.

On en parla ultérieurement. Il était dix-neuf heures ; le bar était plein à craquer. Les serveurs n'étaient plus en état d'enregistrer les commandes ; chacun commandait quelque chose de différent. Le barman prit alors trois bouteilles différentes sur l'étagère, il versa dans chaque verre le même mélange et laissa les gens se servir. Peu après, ils furent tous ivres à cause de la taille des verres et chacun le félicita pour sa bonne idée. Surpris de son succés, il se mit à développer et à peaufiner l'art du mélange.

Depuis lors, offrir des cocktails, des long drinks et autres mélanges à base d'alcool est devenu à la mode. Les boissons sans alcool continuent à être délaissées. Mais nous pensons qu'elles doivent faire partie du répertoire des mélanges. Ce livre traite des cocktails les plus fréquents.

Nous espérons que cela vous amusera et vous fera passer d'agréables moments.

A la vôtre !

Ursula Lottring
Wolfgang Hubert

Les cocktails sont aussi une affaire de mode. En 1953, lorsque j'ai commencé au bar, seuls peu de gens pouvaient se permettre d'aller au bistro. Les femmes buvaient des liqueurs ou des vins du Sud, comme, par ex., la crème de cacao avec de la noix, la liqueur d'oeuf ou le cherry brandy, le Malaga, le Samos ou le Vermouth. Aujourd'hui, il ne reste de cette liste que le cherry brandy et le Vermouth. A l'époque, les hommes préféraient le cognac ou le scotch avec de l'eau gazeuse, le Gin Fizz et le Tom Collins. On buvait également certains cocktails célèbres dans le monde comme la Dame Blanche, le Side-Car et différents cobblers et flips. Celui qui commandait une bouteille de champagne ou de vin avait déjà un peu plus d'argent en poche. On ne trouvait pratiquement pas de bière dans les bistrots ; quand il y en avait, on la servait dans une timbale en argent.

Les vacances et les voyages firent connaître des boissons internationales. C'est en force qu'arrivèrent sur le marché le Whiskey d'Amérique, le "Tonic Water" (Schweppes) et le Ginger ale d'Angleterre, le Campari d'Italie, le Pernod et différentes liqueurs de France, le Punch Suédois et le Bacari de Cuba. C'est ainsi que démarra la mode du Gin Fizz, du Bourbon-Coca, du Bourbon-Gingembre et du Cuba libre. Le cercle de ceux qui fréquentaient les bistrots s'agrandit. Les premières discothèques furent construites, donnant naissance à la soit-disant génération des boissons douces. La Vodka-bitter lemon eut beaucoup d'adeptes. Les jeunes préféraient les mélanges sans alcool. Cette tendance a persisté encore jusqu'à nos jours. Depuis peu, il y a dans les bistrots beaucoup de produits tropicaux et exotiques et les nouveaux cocktails fruités et légers sont de plus en plus demandés.

Peu importe le cocktail que vous aimez. Nous avons répertorié dans ce livre tout une gamme de mélanges et nous vous souhaitons de passer de nombreuses heures agréables à votre propre mini-bar.

A la Vôtre !

W. RUDI HOFFMANN

CHAMPAGNES,
MOUSSEUX & VINS

A l'instar de tant d'autres grandes découvertes, le **champagne,** cette reine des boissons, est le fruit du hasard. Au XVIIᵉ siècle, les viticulteurs champenois, qui jusqu'alors ne produisaient qu'un médiocre vin rouge, mirent sur le marché un vin blanc qui allait leur apporter gloire et fortune. Ce vin limpide et très léger connaissait une fermentation secondaire qui faisait sauter les bouchons. Ce phénomène inquiéta les viticulteurs, et valut à ce vin une réputation "diabolique" : le moine bénédictin Dom Pérignon entreprit de chasser le diable de ce vin. Nous bénéficions aujourd'hui encore de la trouvaille du brave moine, pour qui ce vin était plutôt un cadeau de Dieu. Il modifia la forme de la bouteille et inventa un bouchon plus approprié. La production de champagne atteint aujourd'hui deux cents millions de bouteilles par an; le coût de la fabrication et du stockage de cette noble boisson explique son prix élevé. Les raisins sont pressés immédiatement après la vendange, puis l'on met le jus dans des fûts à champagne. Il y fermente une première fois. Chaque cave produit alors sa cuvée, en coupant jusqu'à cinquante vins, de différentes années et de différents terroirs. Ce coupage permet d'assurer une qualité constante. On produit également des champagnes millésimés, fabriqués à partir de vins d'une même année.

Après le coupage, le vin est mis en bouteilles, additionné de sucre et de lie. Le sucre fermente lentement; des dépôts apparaissent, que l'on doit retirer. Les bouteilles sont couchées avec le goulot vers le bas. Chaque jour on tourne les bouteilles en les inclinant un peu plus. Le spécialiste chargé de cette tâche tourne jusqu'à trente mille bouteilles par jour.

Une fois la maturation achevée, on enlève les bouchons afin de débarrasser le vin de ses dépôts. Pour ce faire, on plonge généralement le goulot de la bouteille dans une solution glacée. Les résidus viennent alors se coller au bouchon: il ne reste plus qu'à retirer celui-ci. On nomme ce procédé le dégorgement. On parfait alors le remplissage des bouteilles à l'aide d'un champagne de même qualité, ainsi que d'un mélange de vieux champagne et de sucre de canne, la liqueur. Selon la quantité de sucre utilisée, le champagne sera qualifié de :

– brut
– sec
– demi-sec
– doux

La fabrication des **vins mousseux** est moins complexe (certains peuvent toutefois être fabriqués selon la méthode champenoise). La deuxième fermentation s'effectue souvent dans les fûts. Le vin ensuite transvasé dans des cuves réfrigérées. Une fois le processus de maturation achevé, on ajoute la liqueur, puis on filtre le vin avant de le mettre en bouteilles. On peut aussi laisser fermenter le vin en bouteille; les dépôts sont retirés, la liqueur ajoutée; après la fermentation, le vin est transvasé sous pression dans des cuves, puis remis en bouteilles. Parmi les spécialités de vins mousseux, mentionnons les crémants de Riesling, qui contiennent au moins 75 % de raisins de Riesling. L'Asti spumante est un vin mousseux du Piémont italien. Les mousseux de qualité peuvent remplacer le champagne dans certains cocktails, préparés avec des jus de fruits frais.

Vous pouvez être quelque peu surpris de trouver dans cet ouvrage un chapitre traitant du **vin.** Celui-ci est cependant présent dans la composition de certaines boissons, telles que le kir ou le flip au vin rouge.

Ceci nous amène naturellement à évoquer brièvement la fabrication du vin. Les raisins sont pressés, et la lie provoque la fermentation du sucre, qui se transforme en alcool. Lorsque la fermentation est achevée dans les cuves, le vin est stocké dans des fûts, où on le laisse vieillir.

Ceci semble fort simple, mais la qualité du vin dépend en grande partie de ce processus. Le terroir, le climat et les cépages exercent également une influence considérable.

Mentionnons quelques cépages parmi les plus célèbres, que vous avez sans doute eu l'occasion d'apprécier :

Cabernet-Sauvignon
De grands bordeaux rouges (ainsi que de bons vins australiens et californiens) sont élaborés à partir de ce raisin.

Chardonnay
Ce raisin blanc est surtout utilisé pour le champagne.

Gamay
Employé pour les beaujolais et certains vins de Touraine.

Pinot blanc
Ces raisins donnent de bons vins blancs secs; les producteurs de champagne les emploient également.

Pinot noir
Bourgognes rouges, certains champagnes et vins d'Alsace.

Riesling
De nombreux bons vins blancs (d'Alsace et d'Allemagne notamment) doivent leur réputation à ses raisins.

Sauvignon blanc
Les bordeaux blancs et de bons vins de Loire sont issus de ce cépage.

Cette liste n'est évidemment pas exhaustive. De nombreux autres cépages auraient pu être mentionnés : nous ne pouvons néanmoins tous les citer dans ce chapitre.

Les vins sont classés selon leur qualité. Les vins de table, les plus ordinaires, ne doivent pas être employés dans l'élaboration des cocktails. Les vins de pays sont d'une qualité légèrement supérieure. On trouve ensuite les Vins Délimités de Qualité Supérieure, puis les vins d'Appellation d'Origine Contrôlée.

Cognac, Armagnac & Brandy

Ces produits sont des alcools de vin, qui diffèrent par leur origine et les méthodes de fabrication employées. Le brandy évoque les films américains ou anglais; en revanche, le cognac et l'armagnac appartiennent au patrimoine français.

Cognac

Le cognac est produit dans le sud-ouest de la France, en Charente. Cet alcool doit son nom à la ville de Cognac, au coeur de cette région. Seul l'alcool produit dans cette région (délimitée juridiquement) peut être commercialisé sous l'appellation de "cognac."

Au XVII° siècle, un marché peu dynamique permit de constater que le cognac était beaucoup plus apprécié après un long séjour en fûts. Jusqu'alors, on consommait le distillat d'origine, de couleur claire. Le cognac acquiert sa teinte dorée en vieillissant dans des fûts en bois de chêne du Limousin. La fabrication des fûts est restée la même depuis plusieurs siècles. Ces fûts ne doivent comporter ni métal, ni matière plastique, ni colle. Afin que le bois ne donne pas un goût amer au cognac, il doit sécher à l'air pendant environ cinq ans.

Les méthodes de distillation n'ont guère évolué. Le vin est distillé à deux reprises. A l'issue de la première distillation, l'alcool dit "brut" titre environ 30°. Il est ensuite distillé à nouveau : on obtient alors un alcool à 70°, que l'on ramène à 40° en le mélangeant à de l'eau distillée (seules les vapeurs qui se dégagent au milieu de la distillation donneront le cognac).

Le meilleur cognac provient de la Grande Champagne, région située au sud-est de la ville de Cognac. Viennent ensuite la Petite Champagne, les Broderies, puis les Fines Bois, Bons Bois, Bois Ordinaires et Fines Bois Communes. Pour l'acheteur, le critère de qualité du cognac doit être son âge.

La qualité trois étoiles ou V.S. correspond à un vieillissement en fûts d'une durée de deux ans. Les V.S.O.P. (Very Superior Old Pale ou Product), V.O. (Very Old), Vieux ont au moins cinq ans d'âge. Les mentions Napoléon, X.O. (extra old), Cordon Rouge, Royal, Réserve et Vieille Réserve désignent des cognacs vieux de six ans au moins. Les très bons cognacs ont jusqu'à trente ans d'âge, et les cognacs "Extra" dépassent parfois cinquante ans.

Lorsque vous achetez du cognac, il n'est pas nécessaire de le conserver longtemps: lorsqu'il est en bouteille, il ne se bonifie plus. Un V.S.O.P. ne deviendra jamais un X.O., même si vous le conservez vingt ans. Faites-vous plutôt plaisir en achetant un cognac de plus de six ans d'âge. Le cognac doit être servi à une température comprise entre 17 et 21°C. Afin de mieux l'apprécier, commencez par le humer, car les arômes les plus fins s'échappent les premiers. On

boit souvent cet alcool dans des grands verres dits "à cognac", pour des raisons d'esthétique : c'est une erreur, car l'arôme s'en va avant que l'on ait eu le temps de l'apprécier. Tenez le pied du verre entre l'index et l'annulaire (en le soutenant à l'aide du majeur), et faites tourner lentement le cognac. L'arôme se dégage alors; nombreux sont les amateurs de cognac qui préfèrent l'odeur au goût de cet alcool. Même si nous recommandons toujours l'emploi des meilleurs produits dans la confection d'un cocktail, n'utilisez pas de cognac plus âgé qu'un V.S.O.P. Les "cognacs" ne provenant pas de la région d'origine prennent souvent le nom de "Brandy." Le brandy est l'un des alcools les plus consommés en Allemagne, avec le schnaps : il prend aussi l'appellation de **"Weinbrand."** Les vins allemands ne se prêtant guère à la distillation, on a surtout recours dans ce pays à des vins français ou italiens. Certains producteurs de Weinbrand emploient des vins de base de la région de Cognac. Le Weinbrand répond à des critères légaux précis : il doit être fabriqué à partir d'un distillat de vin ; les cépages doivent être reconnus par l'administra-

tion ; le distillat doit reposer au moins six mois (douze mois pour certaines apppellations) dans des fûts en bois de chêne d'une contenance maximale de dix hectolitres. La teneur en alcool du brandy allemand est de 38°. Les alcools qui ne remplissent pas ces conditions prennent le nom d'alcool de vin. L'**armagnac** provient de Gascogne. Les habitants de la région aiment à rappeler que leur vin existait déjà à l'époque romaine. Les méthodes de distillation ont été transmises par les Maures, et celles de la fabrication des fûts par les Celtes. Le vin utilisé dans la fabrication de l'armagnac est de qualité relativement médiocre, en raison de sa forte acidité et de sa faible teneur en alcool. Les vendanges s'effectuent très tôt, alors que les raisins ne sont pas encore tout à fait mûrs. Le vin obtenu à partir de ces raisins est distillé au plus tard le 30 avril de l'année suivante, puis mis en fûts de chêne. Les appellations de l'armagnac, telles que V.S.O.P. par exemple, sont presque identiques à celles que l'on emploie pour le cognac. On trouve néanmoins des armagnacs de l'année, ce qui n'est pas le cas pour le cognac.

WHISKY & WHISKEY

Le terme "whiskey" est employé en Irlande et aux Etats-Unis, celui de "whisky" étant utilisé par les Ecossais et les Canadiens.

L'histoire du whisk(e)y est aussi passionnante qu'une grande saga familiale. Le whiskey "Bourbon", boisson nationale des Etats-Unis, a une origine irlandaise, une ascendance allemande et anglaise, un constituant principal indien et un nom français.

Ascendance allemande et anglaise? Elle s'explique aisément: c'est à Georgetown, dans le comté de Bourbon (Kentucky), que fut distillé le premier whiskey américain. Les rois d'Angleterre de l'époque, George II puis son fils George III, étaient des princes de Hanovre. Au XVIIIe siècle, ils régnaient également sur leurs colonies américaines.

A l'origine, le bourbon était élaboré à partir du seigle; cette céréale fut ensuite remplacée par le maïs, pour des raisons mal connues (mauvaises récoltes de seigle ou autres facteurs). On constata que ce nouveau whiskey avait un goût à la fois plus fin et plus prononcé. La réglementation actuelle exige que le bourbon soit composé pour au moins 51% de maïs, auquel on ajoute de l'orge et du seigle. On le stocke dans des fûts de chêne clair "culottés." Il doit vieillir trois ans au moins, avant d'être mis en bouteilles. Le whiskey du Tennessee est filtré à travers du charbon de bois d'érable; ce filtrage l'adoucit considérablement, et les palais les plus sensibles l'apprécieront pur.

Le rye whiskey est composé pour au moins 51% de seigle. Bien qu'il soit considéré comme le plus ancien des whiskeys américains, il n'est guère consommé aux Etats-Unis. Le straight (ou unblended) whiskey est un produit non coupé. Le blended whiskey est élaboré à partir d'un mélange de diverses sortes de whiskey. Le blended bourbon est un whiskey composé d'un mélange de plusieurs bourbons, dont au moins 51% de straight bourbon. L'American blended whiskey est un mélange de rye whiskey et de diverses céréales.

Le whiskey canadien se compose principalement de maïs; il peut également contenir du malt d'orge, de froment et de seigle. Il est plus léger et plus clair que le whiskey américain. Ces deux types de whiskey conviennent à l'élaboration de cocktails.

Si vous souhaitez concocter un drink au bourbon, un conseil: procurez-vous de la menthe fraîche. La boisson rafraîchissante que l'on sert par tradition lors du derby du Kentucky est le Mint Julep: pour les amateurs, cette boisson est tout aussi importante que la course elle-même.

Le fin du fin consiste à servir le Mint Julep avec de la glace dans des timbales d'argent. Un poète déclarait: "Le bourbon et la menthe forment un couple: ils vivent dans le même pays et se

nourrissent du même air et de la même eau."

L'Irlande et l'Ecosse revendiquent toutes deux le statut de patrie du whisk(e)y.

Les Irlandais forment un peuple très fier. L'alcool fut introduit sur l'île verte aux VIe et VIIe siècles par des missionnaires. Ce qui était au départ un breuvage médicinal devint par la suite une boisson dont la sagesse populaire irlandaise voulait qu'elle procurât jeunesse éternelle et virilité.

Le whiskey irlandais est distillé à trois reprises. Ses ingrédients de base sont l'orge, le froment, l'avoine, le seigle et, naturelle-ment, la pure et limpide eau d'Irlande. Les céréales sont maltées puis séchées dans des marmites afin de conserver le goût du malt. Selon la législation en vigueur, le whiskey irlandais doit vieillir au moins trois ans; la plupart des whiskeys ont cinq à douze ans d'âge. Jusqu'à une époque fort récente, ceux qui étaient surpris à couper leur whiskey irlandais avec de la glace ou de l'eau glacée étaient considérés comme des barbares. Depuis lors, les Irlandais sont devenus un peu plus tolérants.

Le whisky de malt, le véritable scotch originel, ne se prête absolu-ment pas aux mélanges. Il doit être bu à la température ambiante, additionné à la rigueur d'une goutte d'eau de source. Pour les amateurs, c'est la seule boisson digne du nom de whisky. Le whisky de malt est élaboré à base d'orge pur. L'orge est trempé, puis étendu sur des aires de maltage où il germe pendant une dou-zaine de jours, ce qui provoque la formation de sucre. Ce malt vert est séché et fumé au-dessus d'un feu de copeaux de hêtre, de char-bon de bois, de tourbe et de bruy-ère, ce qui confère au whisky son goût caractéristique. L'orge est ensuite égrugé, mélangé à de l'eau chaude pour faire fondre le sucre, puis trempé avec de l'eau pure et la lie. Après la deuxième distillation, le whisky de malt est stocké dans des fûts à xérès, ce qui lui donne sa belle couleur dorée. Le temps de stockage, de trois ans au moins, est le plus souvent com-pris entre sept et douze ans. Il existe quatre sortes de whisky de malt: les Highland Malt Whiskies, les Lowland Malt Whiskies, les Island Malt Whiskies et les Camp-bletown Malt Whiskies.

Outre le whisky de malt, on trouve également en Ecosse du whisky de grain. Les non-Ecossais éprou-vaient quelques difficultés à s'ha-bituer à la saveur prononcée du malt fumé. Afin de ménager leur palais sensible, un procédé de dis-tillation fut mis au point, qui donna naissance au whisky de grain, plus doux et léger. Ce whisky de grain, à base d'orge malté et non malté, de maïs et d'autres céréales, est produit industriellement; on l'em-ploie pour couper le whisky pur malt, ce qui donne le Blended Scotch Whisky.

VODKA, GIN ET RHUM

La vodka, dont le nom provient du mot russe signifiant "eau", préserve l'haleine fraîche de celui qui en boit.

Selon un proverbe ancien, "la première vodka passe, la deuxième frappe, et les suivantes ont la légèreté du moineau et la gaieté du pinson."

Les meilleures vodkas proviennent non seulement de Russie et de Pologne, mais également de Finlande.

La vodka est une eau-de-vie de grain et/ou de pomme de terre. Les céréales et les pommes de terre sont mises à macérer dans de l'eau; le moût est ensuite distillé, deux fois au moins. L'alcool ainsi obtenu est très fort, et presque totalement débarrassé de ses impuretés. On le filtre, puis on y ajoute de l'eau afin de ramener son degré d'alcool à 40°. Contrairement aux autres eaux-de-vie, la vodka est neutre, pure et douce au goût. Les Finlandais ajoutent à leur vodka à 97° une eau bien particulière, qui provient souvent des glaciers. Un producteur danois emploie de la glace du Groënland fondue. L'important est que soient assurées la pureté et la qualité de la vodka, pour la plus grande satisfaction des amateurs.

Comme toutes les bonnes boissons, la vodka est produite dans maints pays autres que ceux d'origine. Toutefois, les connaisseurs sont réticents à l'égard notamment de la vodka américaine. Aux Etats-Unis, on ne boit que fort rarement la vodka pure : l'idée d'intégrer la vodka à des cocktails nous vient sans aucun doute des Améri-

cains. Le goût de la vodka est neutre, et ce sont donc les autres ingrédients du cocktails qui lui donnent goût, la vodka leur prêtant sa force en retour. Lorsque vous préparez un cocktail, n'utilisez que de la vodka pure et limpide. Il existe des vodkas aux herbes, dont la saveur est excellente en soi, mais elle ne conviennent absolument pas pour les cocktails.

Le gin est une eau-de-vie à base de genièvre. Il est né à Hanau ou à Amsterdam, mais c'est pourtant à un Français, François Deleboe (qui vivait dans ces régions), que l'on doit son invention. L'histoire du gin prête à bien des controverses; gardons-nous de nous y trop mêler, mais écoutons néanmoins cette histoire, un verre de Pink Gin à la main.

A l'origine de la fabrication du gin se trouve la genévrette hollandaise. Après que Guillaume III d'Orange l'eût emportée avec lui en Angleterre, cette boisson - produite localement - fut rebaptisée sous le nom de "gin."

L'Angleterre se trouvant ensuite en guerre avec la France, la consommation de cognac y fut réprouvée, et chacun fut autorisé` fabriquer son propre gin. Cette liberté ayant eu des conséquences parfois meurtrières, la composition et la fabrication du gin furent sévèrement contrôlées.

On prétend qu'aujourd'hui encore les trafiquants de gin sont nombreux dans certaines régions de

production, et que les services compétents leur livrent une guerre acharnée. Une chose est certaine : en Angleterre cet alcool, à base d'orge et de seigle, est généralement le produit de deux distillations successives. Il est affiné avec du genièvre, de la coriandre, du zeste de citron, de l'anis, du cumin et d'autres ingrédients. Le gin anglais est généralement considéré comme très pur et d'une excellente qualité. Après la distillation, on le coupe avec de l'eau pour ramener la teneur en alcool à 38°-45°.

Le dry-gin anglais titre habituellement 40°, mais il en est de moins forts, tels que le Plymouth Gin, qui contient du sucre. Ce gin était à l'origine la boisson traditionnelle de la marine anglaise. Un officier de marine, qui souhaitait se prémunir contre le mal de mer, eut un jour l'idée d'ajouter de l'Angostura - une liqueur amère - dans son verre de gin, qui prit alors une couleur rose ("pink"). Cette boisson fit carrière chez les marins, et notre officier reçut de l'avancement.

La fabrication du **rhum,** boisson universellement appréciée, a pour origine une horrible coutume - aujourd'hui heureusement presque partout abandonnée : celle de l'esclavage. Les esclaves noirs fabriquaient une boisson légèrement alcoolisée à partir des résidus de la récolte de canne à sucre. Par la suite, les blancs se mirent à fabriquer une eau-de-vie à partir

de cette même canne à sucre.

La production de canne à sucre donne naissance à la mélasse, un liquide brun et visqueux. On mélange la mélasse à de l'eau pour ramener la teneur en sucre de 30 à 15%. Cette mixture est ensuite additionnée de levure - de bière notamment. Le mélange obtenu est ensuite distillé, après fermentation.

Le rhum brun est laissé à vieillir dans des fûts de bois, ce qui lui donne sa couleur (le rhum qui vient d'être distillé est incolore). Le rhum blanc vieillit dans des fûts de frêne clair, puis dans des cuves d'acier.

Un proverbe antillais prétend que "la vérité repose dans le rhum"; pourquoi pas ? La consommation des boissons exotiques est en effet censée favoriser la générosité. Presque toutes les îles des Antilles s'efforcent de favoriser la générosité et la recherche de la vérité en produisant leur propre rhum.

Le meilleur rhum brun est sans doute celui de la Martinique.

Aux Etats-Unis, on utilise essentiellement du rhum blanc pour confectionner des mélanges. Les grands classiques sont le Daïquiri et le Cuba Libre. Le rhum brun ou ambré connaît depuis quelques années une grande vogue. Les drinks tels que le Mai Taï ou le Punch Planteur ne rencontreraient sans doute pas autant de succès sans rhum ambré.

Il est de nombreux mélanges exotiques à base de rhum et de crème de coco : ne laissez pas passer la chance de les savourer.

TEQUILA ET ALCOOLS DE FRUITS

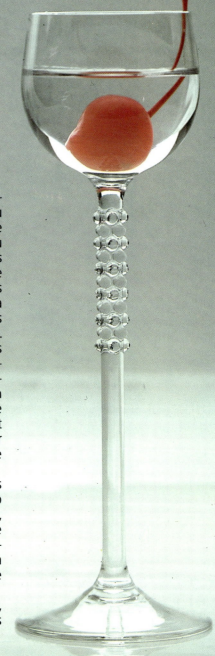

Tequila est le nom d'une ville du Mexique, la plus connue sans doute de ce pays après la capitale, Mexico.

Si la ville a deux couleurs, elle le doit sans doute à l'eau-de-vie. La tequila blanche est la plus "jeune." L'autre sorte, jaune pâle, vieillit en fûts. On trouve dans le commerce ces deux types de tequila, qui titrent 45°. La tequila est fabriquée à partir d'agaves bleu-vert, qui mettent dix ans à mûrir. Le coeur du fruit est broyé, chauffé, puis distillé après fermentation.

Lorsque l'on boit de la tequila, il faut respecter tout un cérémonial, qui date du temps des Aztèques. L'ordre de opérations peut varier selon les goûts de chacun. En règle générale, on dépose une pincée de sel sur la base du pouce ; on prend dans la main une rondelle de citron vert et un verre de tequila ; on lèche le sel, on mord le citron puis on boit la tequila. Certains aiment à boire l'eau-de-vie d'agave pure. Il faut alors utiliser la qualité "appellation contrôlée", d'une couleur jaune pâle. Il n'y

a pas longtemps que l'on consomme la tequila en dehors du Mexique : aussi les cocktails à base de tequila sont-ils encore peu nombreux. Son emploi dans les cocktails n'est pas aussi simple que celui de la vodka, au goût plus neutre On s'accorde néanmoins à prédire un bel avenir dans les bars à la boisson nationale du Mexique. Essayez donc le plus célèbre des drinks à base de tequila : la Margarita. En la préparant toutefois, rappelez-vous la chose suivante : un verre dont le bord est garni d'une pellicule de sel ou de sucre ne doit jamais être totalement rempli, car alors cette pellicule décoratrice se fondrait dans le drink lui-même.

Il existe de nombreux amateurs d'alcools de fruits. Si beaucoup apprécient les fruits à l'état naturel, le goût du fruit "liquide" rencontre un succès croissant ! Pour beaucoup, un panier plein de cerises a bien moins d'arôme qu'une bonne eau-de-vie de cerise.

Les distillats sont de trois sortes, selon les catégories de fruits et les méthodes de fabrication.

Certains alcools résultent de l'addition d'alcool aux fruits avant la distillation. C'est généralement le cas pour les baies telles que les framboises, les cassis, les fraises, les mûres et les prunelles. L'alcool doit être ajouté car ces fruits sont trop peu sucrés. Après distillation, le degré d'alcool est d'au moins 40°.

Les fruits à noyaux tels que les cerises, les mirabelles, les prunes et les questsches sont très sucrés naturellement. Après fermentation, le mélange titre suffisamment de degrés pour qu'il ne soit pas besoin de rajouter du sucre. Parmi les **eaux-de-vie de fruits** à pépins, mentionnons l'eau-de-vie de poire et l'eau-de-vie de pomme.

Ces fruits sont eux aussi suffisamment sucrés, et l'on ne rajoute donc pas de sucre. Après distillation, on obtient un alcool titrant entre 38 et 50°.

Les eaux-de-vie de fruits les plus connues sont originaires d'Alsace, de Normandie et des Alpes (on trouve également d'excellentes eaux-de-vie en Forêt Noire et en Suisse).

Le calvados est originaire de Normandie; il est à base de cidre et de jus de pomme. Le processus de distillation est le même que pour le cognac. La région de production du "calva" est elle aussi fixée par la loi : le coeur de cette région de production est le pays d'Auge, d'où est issu le calvados "d'appellation contrôlée." Les eaux-de-vie à base de pomme ne provenant pas de cette région reçoivent le nom d'eaux-de-vie de cidre.

Plus le calvados est vieux, plus son goût est velouté, et plus il déploie avec discrétion son arôme de pomme. Sa couleur peut alors varier d'un jaune ambré à un brun qui rappelle celui du cognac.

Le calvados titre au moins 40°. A la fin du repas, c'est un digestif idéal. Lors de repas très plantureux, on le boit entre les plats (c'est le fameux "trou normand"). Le calvados se boit à température ambiante, dans un verre similaire au verre à cognac.

LIQUEURS

Il existe une telle multitude de liqueurs qu'il faudrait leur consacrer un ouvrage entier. Tel n'étant pas l'objet de ce livre, nous nous contenterons de traiter ici des plus importantes.

L'orange, qui sous sa forme de jus de fruit fraîchement pressé, constitue une élément indispensable à de nombreux cocktails, est également à la base d'un ingrédient important de maintes boissons alcoolisée: la **liqueur d'orange.** On utilise dans l'élaboration de cette liqueur le zeste de l'orange curaçao. Celle-ci, que l'on nomme aussi "bigerade des Caraïbes", pousse naturellement sur l'île de Curaçao, qui est aujourd'hui une possession hollandaise. Ce fruit est amer et non comestible; cependant, son zeste contient certaines huiles - des esters - dont l'arôme est nettement supérieur à celui des autres oranges. Le zeste séché de l'orange curaçao est aujourd'hui principalement produit en Haïti. Pour extraire les éléments aromatiques du zeste, on doit traiter celui-ci avec de l'alcool: esprit-de-vin, mais aussi cognac ou armagnac. On ajoute ensuite des épices et des herbes, ainsi que certains éléments du zeste de l'orange douce. Les liqueurs d'orange les plus renommées proviennent des Pays-Bas, de France et d'Allemagne. Elles sont consommées dans presque tous les pays du monde.

Les liqueurs répondant à l'appellation de "Triple sec" ont une teneur en alcool de 38°; si elles ne comportent pas cette dénomination, elles doivent titrer 30° au moins. Douces-amères au goût, elles déploient un fort arôme. Versez de la liqueur d'orange dans votre, café, nappez d'une couche de crème fraîche, et vous obtiendrez ainsi un dessert délicieux et rapidement préparé. En plus de la liqueur d'orange claire, vous pouvez également en trouver une de couleur bleue : cette teinte est obtenue par l'addition d'un colorant autorisé par la loi.

La liqueur de cassis, d'une couleur rouge sombre - obtenue sans adjuvant artificiel - est fabriquée dans la région de Dijon. Sa teneur en alcool doit être d'au moins 15°. L'ingrédient essentiel est évidemment le cassis. Les baies fraîchement cueillies macèrent deux mois dans de l'alcool afin de donner à celui-ci couleur et arôme. Après le filtrage, la boisson est mélangée à du sucre que l'on a fait fondre dans du sel.

C'est le Kir qui a fait la renommée de la crème de cassis. Le Kir, fait d'une dose de cassis pour sept doses de bourgogne blanc, peut être mélangé à du champagne ou à un vin mousseux sec (Crémant de bourgogne par exemple).

Le résultat a pour nom Kir Royal. Le nom de Kir doit son nom au chanoine Kir, maire de Dijon au début de ce siècle.

Il y a cent quarante ans environ, un habitant de la Nouvelle-Orléans eut une idée de génie, qu'il entreprit de mettre en pratique entre deux concerts de jazz. En mélangeant du whiskey, des épices et des fruits tropicaux, il mit au point une boisson titrant 43° qui allait bientôt s'attirer une excellente réputation. Nous évitons par principe de citer des marques commerciales : dans ce cas précis, toutefois, il est difficile de faire autrement. Cette boisson se nomme Southern Comfort. Elle s'apprécie pure et légèrement frappée, ou bien avec quelques glaçons ou de la glace pilée.

Après l'échec de sa tentative de conquête, l'infortuné prince écossais Charles Edouard Stuart communiqua à ses sauveurs, en signe de gratitude, la recette du Drambuie, une liqueur de plantes d'une grande douceur. Cette liqueur, qui se fabrique à partir de whisky de malt, d'herbes d'Ecosse et de miel de bruyère, titre 40°. De nombreux historiens voient dans la pérennité de cette recette le plus haut fait du prince. L'Irlande nous a elle aussi donné des liqueurs whisky, dont beaucoup aujourd'hui remplacées d recettes de cocktail par mes. Elles aussi doivent rement frappées pour d toute leur saveur.

Une liqueur italienne actuelle sante : l'A borée à et ar épices et de la vanille. Les amandes macèrent dans de la grappa, un vin cuit fait avec du marc de raisin. L'acide prussique contenu dans les amandes amères (comme dans le noyau des abricots), est extrait au moment de la distillation. Sans cette opération, on ne pourrait apprécier la saveur de cette liqueur qui a pour origine une belle et triste histoire d'amour. En 1525, le peintre Bernardino Luini travaillait à la réalisation des fresques de l'église de Saronno - où l'on peut aujourd'hui encore les admirer. Il avait pour modèle une femme d'une extrême beauté. Quand fut venu le moment des adieux, elle lui envoya en souvenir des temps heureux la recette de sa liqueur. Peut-être est-ce la raison pour laquelle les fabricants d'Amaretto axent aujourd'hui leur publicité sur des images de femmes rieuses et secrètes à la fois. La dernière mode veut que l'on consomme des liqueurs à base de noix de coco ou de fruits exotiques, qui servent surtout à confectionner des punches antillais.

VERMOUTH, PORTO & SHERRY

La production du vin de **Vermouth** était autrefois limitée à la région de Turin. Le bouquet des vins locaux utilisés convenait parfaitement, et les Alpes fournissaient leurs plantes aromatiques. Le vermouth actuel remonte à l'année 1786. Cette boisson propice à l'invocation des Muses fut découverte en une heure par un certain Antonio Benedetto Carpano, citoyen de la ville de Turin. Le moût, fermenté et décanté, doit reposer un certain temps. Parallèlement, on fait macérer des racines et des plantes dans un mélange de vin et d'alcool. L'extrait de plantes est ensuite ajouté, avec de l'alcool dénaturé et du sucre, au vin de base, que l'on a laissé reposer. Les mélanges de plantes constituent bien évidemment des secrets locaux jalousement gardés. Parmi les ingrédients figurent certainement la vanille, l'orange amère, le quiquina, la coriandre, ainsi que d'autres plantes - selon les fabricants - dont le nombre peut atteindre une cinquantaine.

Lorsque les divers ingrédients du vermouth ont été mélangés, on les chauffe puis on les rafraîchit. Il faut ensuite laisser reposer le vermouth pendant trois à quatre mois en moyenne, voire jusqu'à dix mois. Selon le goût et la teinte, on distingue le vermouth rouge, le vermouth doux, le vermouth sec, le vermouth blanc et le vermouth rosé. Le rouge, le rosé et le blanc doux sont d'origine italienne, le blanc sec étant d'origine française. Le vermouth se boit avec des glaçons. Le blanc doux admet une rondelle de citron, la rondelle d'orange convenant mieux pour le rouge et le rosé; quant au blanc sec, il s'accompagnera d'une olive verte. Le vermouth est un apéritif, car son amertume et les plantes qu'il contient stimulent l'appétit.

Ce sont les américains qui les premiers ont eu l'idée d'employer le vermouth dans des cocktails: ce fut là l'une de leurs plus grandes découvertes. Un grand nombre de cocktails comprennent un trait de vermouth. Pour ne citer que les plus renommés, mentionnons le Martini et le Manhattan.

Le porto est un vin liquoreux du Portugal, originaire de la vallée du Douro, dans le nord du pays. Il titre environ 20°. La fermentation des raisins est bloquée par l'adjonction d'un distillat de vins à haute teneur en alcool provenant de la même

région. Le Vintage Port est un vin millésimé qui a pousuivi sa maturation en bouteille et n'a pas été coupé.

Ce porto conserve sa robe rouge foncé jusqu'à un âge avancé, et son goût est très prononcé.

Le porto nouveau, fait avec des raisins noirs, est d'un rouge lumineux. Il est commercialisé sous l'appellation "full". Après trois années de fût, le porto devient rouge rubis : il prend le nom de "Ruby". Après une dizaine d'années de fût, il est appelé "Tawny". Si le vin est d'une qualité exceptionnelle, le Tawny peut également porter l'appellation de "Very Old". Il lui faut alors vingt à quarante ans pour parvenir à sa pleine maturation en fût.

Au cours de sa maturation en fût, le porto subit des modifications extraordinaires. Plus la maturation se prolonge, plus il s'éclaircit et plus il devient léger au goût. C'est ainsi qu'un vieux porto rouge finit par ressembler à un porto blanc. Ce dernier, au contraire, fonce lorsqu'il repose en fût.

Le porto blanc qui prend de l'âge est successivement appelé "pale white", "straw coloured white" et "golden white". Sur une étiquette de porto figure également une indication supplémentaire ; celle-ci décrit le type du vin, de "very sweet" à "extra dry".

Le porto blanc se boit frappé, et le rouge chambré, surtout à l'apéritif. Pour une bonne conservation, les bouteilles de porto doivent être entreposées couchées.

Il existe tant de sortes de **sherry** que nous pourrions en déguster toute la journée sans boire deux fois le même. Le sherry est un vin du soleil, originaire d'une région de l'andalousie définie avec précision par la loi. La ville la plus célèbre de cette région est Jerez (d'où l'autre nom du sherry, "xérès"). Le vin nouveau, dont la fermentation est très violente, repose ensuite dans des fûts de chêne. Selon les types de saveur, on distingue les catégories suivantes : Le Manzanilla est un sherry très sec, d'un jaune pâle, légèrement amer. Une rareté.

Le Fino est sec, légèrement amer, délicat et savoureux.

L'appellation Amontillado est réservée au sherry demi-sec.

L'Oloroso est un sherry sombre et gouleyant ; le Cream Sherry, doux et foncé, convient parfaitement au moment du dessert.

COMMENT COMPOSER
VOTRE BAR

Pour toujours servir vos cocktails "faits maison" dans les verres appropriés, vous devez tout d'abord savoir que la forme du verre exerce une grande influence sur la saveur du drink : un cocktail ne produira tout son effet que dans le verre qui lui est destiné. Tout bar digne de ce nom doit comprendre des flûtes à champagne, des coupes à cocktail, des tumblers, des verres à apéritif des verres à orangeade (ou à long drink) et des verres à vin, pour n'en mentionner que quelques-uns.
Pour mélanger, il vous faut un shaker en acier spécial et un verre mélangeur. Lorsque vous utilisez le shaker, veillez à bien respecter l'ordre dans lequel les ingrédients doivent y être versés, ainsi que la durée. Mettez d'abord la glace, puis les ingrédients non alcoolisés, et ensuite seulement les liqueurs et alcools. Ne secouez pas pendant plus de dix à vingt secondes, sous peine de "noyer" votre cocktail. A l'issue de cette opération, le mélangeur doit être embué. La meilleure solution consiste à s'entraîner avec de l'eau et de la glace. La photographie ci-dessous vous indique quels sont les ustensiles dont vous aurez . besoin pour constituer votre bar.

shaker

tire-bouchon

gobelet doseur

pince à glace

strainer

pince-bouteille

cuiller de bar

bouchon à champagne

ouvre-b

pique à garniture

verre à long drink

glacière (seau à glace)

flûte à champagne

coupe à cocktail

coupe à cocktail

verre à xérès

verre à punch

tumbler

verre à liqueur

verre à orangeade (à long drink)

eille

verre à Old-fashioned

21

FIZZES, FLIPS, FIXES & CO.
LE JARGON DU BARMAN

La langue du barman est internationale et parfois quelque peu déroutante. Les cocktails sont de deux types principaux: les Short Drinks, qui sont les plus nombreux, et les Long Drinks ou Highballs. Nous vous présentons ci-dessous les notions les plus importantes. Pour les principales catégories de drinks, nous vous indiquons également une recette de base dont vous pourrez vous inspirer afin d'élaborer vos propres cocktails.

APERITIFS

Ce sont des cocktails plutôt secs, ou bien des vermouths et des bitters; on les boit avant le déjeuner ou le dîner car ils stimulent l'appétit.
Pour les préparer, on verse environ 5 cl de l'apéritif désiré dans un verre, que l'on remplit ensuite d'eau gazeuse. Garnissez le bord du verre d'un morceau de zeste de citron (de la longueur d'un doigt) et servez tel quel.

BOWLS & CUPS

Le bowl est une boisson idéale lorsque vous recevez un assez grand nombre de personnes. Il s'agit d'un mélange de vin, de sucre, de fruits et de champagne (ou de mousseux). Si l'on ne souhaite pas que le bowl soit trop fort, on peut le compléter par de l'eau minérale. Il ne faut surtout pas ajouter de glace.
Les cups sont plus forts. On ajoute aux ingrédients du bowl des alcools et liqueurs. Les fruits qui conviennent le mieux sont les fraises, les framboises, les abricots, les poires, les kiwis et les melons.

COBBLERS

La caractéristique du cobbler est de contenir de la glace finement pilée. Le verre est rempli aux deux tiers de glace pilée et décoré selon votre fantaisie avec des fruits divers. La boisson est versée sur la glace et les fruits. Le cobbler est servi avec une cuiller ou une paille.

COLLINS

Ce sont des longdrinks d'été, qui se rapprochent des fizzes. Les Collins sont préparés directement dans le verre. Les plus connus sont le Tom Collins et le John Collins. On remplit à demi de glace un grand tumbler (gobelet); on ajoute ensuite 3 cl de jus de citron, 3 cl de sirop de sucre de canne et 4 cl des alcools choisis; on complète avec de l'eau gazeuse et l'on décore avec des cerises confites, une rondelle de citron ou 1/2 rondelle d'orange.
Pour le Tom Collins, l'alcool employé est toujours le gin. Le John Collins se prépare avec du genièvre en Europe et avec du bourbon aux Etats-Unis. On peut également utiliser du rhum, de la vodka, du cognac, de l'eau-de-vie d'abricot ou de la williamine. Les ingrédients doivent être très froids et les fruits, très mûrs.

COOLERS

Les coolers sont des longdrinks très désaltérants
Remplissez à demi le shaker de petits glaçons, ajoutez 2 cl de jus de citron, 2 cl (2 à 3 c. à café) de sucre en poudre et 4 cl de bour-

bon ou d'un autre alcool. Agitez et versez la boisson dans un gros tumbler. Complétez avec du ginger ale (Canada Dry) très frais et servez avec une paille.

CRUSTAS

Ces longdrinks se caractérisent par la "croûte" décorative de sucre qui couvre le rebord du verre. Ils sont servis dans des verres en forme de ballon que l'on ne remplit pas à ras bord. On les sert principalement après le repas.
Humectez de jus de citron le bord d'un ballon, en faisant glisser sur le tour du verre une rondelle de citron fendue (la profondeur de cette fente dépend de la largeur souhaitée pour la croûte de sucre). Passez ensuite le verre retourné dans du sucre en poudre, puis déposez dans le verre le zeste entier d'un citron, découpé en forme de spirale. Remplissez à demi le shaker de glaçons, ajoutez 2 cl de jus de citron, 2 cl de sucre en poudre, 2 gouttes d'Angostura, 3 gouttes de marasquin et 4 cl de l'alcool choisi. Agitez fortement et servez dans le verre préparé.

DAISIES

Les daisies se servent dans de grandes coupes à champagne. Si vous ne disposez pas de telles coupes, utilisez des verres présentant une forme similaire.
Remplissez à demi le shaker de petits glaçons. Ajoutez 2 cl de jus de citron, 2 cl de grenadine et 4 cl des alcools choisis. Agitez énergiquement et versez dans le verre. Complétez avec de l'eau gazeuse très fraîche et décorez de quelques cerises.
Les alcools qui conviennent le mieux sont le cognac, le rhum, les liqueurs aromatiques, l'eau-de-vie d'abricot ou de cerise, le Cointreau, etc.

EGG NOGGS

Les eggs noggs (ou eggflips) peuvent être bus chauds ou froids. Ils contiennent toujours du lait et du jaune d'œuf et se servent dans un grand tumbler, avec une paille.
A l'aide d'une fourchette, mélangez soigneusement 1 jaune d'œuf et 2 cuillers à café de sucre; tout en remuant régulièrement, ajoutez du lait chaud et 4 cl de l'alcool choisi. Les alcools qui conviennent le mieux sont le rhum, le cognac et le bourbon. Parsemez la boisson d'un peu de noix de muscade râpée.
Dans la variante froide de l'egg nogg, le jaune d'œuf, le sucre et l'alcool sont mélangés dans le shaker et versés dans le verre: on complète ensuite avec du lait froid.

FIZZES

Le plus connu des fizzes est le gin fizz.
Remplissez le shaker au tiers avec de petits glaçons, ajoutez 4 cl de jus de citron, 2 à 3 cuillers à café de sucre et 4 cl de gin. Agitez énergiquement et versez dans un tumbler. Ajoutez un trait d'eau gazeuse très fraîche et servez avec une paille.

FLIPS

Les flips doivent être servis aussitôt préparés.
Mettez de gros glaçons dans le shaker; ajoutez un jaune d'œuf frais, 2 cuillers à café de sucre, 2 cl de Cointreau et 4 cl de l'alcool désiré. Agitez énergiquement et versez dans le verre. Les flips les plus appréciés sont les flips au porto et les flips au sherry.

FIXES

Ces boissons fortement alcoolisées sont plus particulièrement appréciées avant le repas.
Dans un tumbler, mélangez 2 cuillers à café de sucre (ou une c. à café de saccharine liquide) avec de l'eau. Ajoutez 1 cl de cherry-brandy, 2 cl de jus de citron et 4 cl de l'alcool choisi. Complétez avec de petits glaçons. Déposez une fine rondelle de citron sur la glace servez avec une paille. Les alcools qui conviennent le mieux sont le gin, la vodka, le rhum et le cognac.

Frappes et Glaces

Le nom de ces cocktails indique bien qu'ils sont servis très froids - sur de la glace finement pilée. Pour préparer un **frappé**, versez 4 cl de l'alcool désiré dans une coupe à champagne, et complétez avec de petits glaçons. Servez avec une paille.

Les meilleurs frappés sont à base de menthe poivrée, d'eau-de-vie d'abricot et de Cointreau.

Les **frappés à la crème glacée** sont préparés dans un mixer. Mélangez 2 boules de glaces aux fruits, 1 cuiller à café de sucre, 4 cl de lait et 4 cl de l'alcool désiré.

Le **glacé** est servi dans un tumbler : il se compose de 4 cl de l'alcool de votre choix et de beaucoup de glace. Servez avec une cuiller et une paille, et n'oubliez pas l'indispensable carafe d'eau.

Fancy Drinks

Ce sont des boissons fantaisie pour lesquelles il n'existe pas de recette de base.

Grogs

Ces boissons se composent d'alcools forts dilués dans de l'eau chaude.

Vin Chaud

Le vin chaud peut être préparé avec du vin rouge ou blanc. Chauffez à feu doux (sans porter à ébullition) 20 cl du vin de votre choix, 2 cl de jus de citron, 2 cuillers à café de sucre, 2 clous de girofle et un brin de menthe.

Highballs

Ces longdrinks très simples à préparer sont très désaltérants. Versez 4 cl de l'alcool de votre choix avec des glaçons dans un grand tumbler ; remplissez de ginger ale (Canada Dry). Pressez un morceau de zeste de citron de la longueur d'un doigt sur le dessus, afin que l'arôme du citron se répande sur la boisson. Ajoutez ensuite le zeste.

Juleps

Ces boissons se caractérisent par la présence de feuilles de menthe poivrée fraîche.

Dans un verre à highball, broyez dans un peu d'eau 3 brins de menthe poivrée avec 2 cuillers à café de sucre ; remplissez le verre de glace aux 4/5èmes, puis ajoutez 4 cl de l'alcool de votre choix. Le meilleur cocktail de ce type est le julep au bourbon.

Limonades

Le nom de cette boisson vient de l'italien "lemone" (citron). Nous distinguons les limonades sans alcool de celle qui en contiennent. Remplissez à demi le shaker de glace. Ajoutez 2 cl de grenadine, 2 cl de jus de citron et 2 cl de sirop de framboise. Agitez énergiquement.

Versez dans un grand tumbler et complétez avec de l'eau gazeuse. Si vous souhaitez préparer une limonade alcoolisée, ajoutez 2 cl de l'alcool de votre choix.

Milkshakes

Comme leur nom l'indique, ces boissons contiennent du lait (de l'anglais "milk").

Dans un shaker, versez de la glace, 1 cuiller à café de sucre, 12 cl de lait et l'alcool. Agitez puis versez dans un beau verre. Vous pouvez également ajouter une cuiller à café de cacao ou de café en poudre, ou bien un sirop aromatisé, ou bien encore du jus de fruit.

Nutrimentum Spiritus

Il s'agit de cocktails d'origine allemande, pour la préparation desquels il n'existe pas de recette de base.

PUFFS

Ces mélanges d'une grande sim-
picité sont à base de lait, d'eau
gazeuse et d'alcool.

POUSSE-CAFES

Ces excellents digestifs brillent
comme autant d'arcs-en-ciel. Pour
les préparer, on verse les unes sur
les autres des liqueurs de diverses
teneurs en alcool (et, partant, de
densités différentes). L'important
est que ces liqueurs ne se mélan-
gent pas. La liqueur la plus dense
doit être versée en premier: ce
sera la liqueur la moins alcoolisée
et la plus sucrée.

PUNCHES

Il existe une sorte de punch, le
punch anglais, qui peut être pré-
parée chaude ou froide.
Faites fondre 3 cuillers à café de
sucre dans un peu d'eau; mélangez 2 cl de jus d'ananas, 2 cl de jus

de citron, 2 cl de jus d'orange et 4
cl de l'alcool de votre choix (ce
peut être du rhum, du cognac ou
du whisky, par exemple). Servez
avec beaucoup de glace et des
fruits.

Le punch chaud doit être préparé dans un verre supportant la chaleur. Versez 3 cuillers à café de sucre, 1 à 2 cl de jus de citron et 4 cl de l'alcool de votre choix dans le verre, et complétez avec de l'eau frémissante. Ajoutez une rondelle de citron et servez le tout avec une cuiller.

RICKEYS

Ces long drinks, que l'on boit en digestif, sont très rares chez nous. Coupez un citron en deux, pressez le jus dans un grand tumbler; mettez ensuite le fruit, de la glace 4 cl de l'alcool de votre choix dans le gobelet, puis complétez avec de l'eau gazeuse. Le gin, la vodka, le genièvre, le rhum et le whisky conviennent particulièrement bien.

SANGRIAS

Ces long drinks peuvent être servis chauds ou froids. Ce sont des spécialités tropicales à base d'alcool ou de bière.

SHRUBS

Ces mélanges ressemblent fort aux bowls ou aux punches; ils sont toutefois plus concentrés.

SCAFFAS

Cette variante italienne du pousse-café se compose de sirop et de plusieurs sortes d'alcools

SLINGS

Les slings ressemblent aux collins. Dans un verre ballon ou un tumbler, faites fondre 3 cuillers à café de sucre dans un peu d'eau; ajoutez de la glace, 2 cuillers à café de grenadine, 2 cl de jus de citron et 4 cl de l'alcool de votre choix. Complétez avec de l'eau.

SMASHES

Ce sont des long drinks voisins des juleps.
Dans un shaker, faites fondre 2 cuillers à café de sucre dans un peu d'eau; ajoutez des feuilles de menthe poivrée et 4 cl de l'alcool de votre choix, puis agitez sans ajouter de glace. Versez dans un grand verre à vin avec de petits glaçons. Décorez avec de petits dés d'ananas frais.

SODAS

Le nom de ces boissons est suffisamment explicite. Versez l'alcool de votre choix dans un tumbler et complétez avec de l'eau gazeuse.

SOURS

Ces célèbres long drinks sont appréciés dans le monde entier. On peut les servir avec de la glace dans un verre à Old-fashioned, ou sans glace dans un verre à sour. Remplissez à demi le shaker de glace; ajoutez 2 cl de jus de citron, 3 cuillers à café de sucre et 4 cl de l'alcool de votre choix. Agitez vigoureusement et longuement. Servez après avoir décoré selon votre imagination. Les sours les plus apréciés sont à base de bourbon, de whisky, de cognac, d'eau-de-vie d'abricot, de raki ou de Pernod.

SUNDAES

Dans un verre à cobbler, déposez une boule de glace à la fraise et une autre au chocolat, ainsi que 2 cl de sirop ou d'une liqueur aromatisée. Saupoudrez de noix finement pilées. Décorez avec des fruits et de la crème fouettée.

TAUWASSER

Cette boisson rafraîchissante, dont le nom signifie "rosée", est originaire d'Allemagne. Versez 2 cl de l'alcool indiqué, de la glace finement pilée et un trait d'eau gazeuse dans un verre décoré d'une "crusta".

TODDIES

Ces boissons, pratiquement inconnues dans notre pays, se servent chaudes ou froides et rappellent les grogs.

TWISTS

Dans un verre mélangeur, versez des glaçons, 2 cuillers à café de sirop de framboise, le jus d'1/2 citron, 1 cl de curaçao et 4 cl de cognac; mélangez et décorez avec un zeste de citron.

DRINKS VARIES

Ces boissons, dont le nom indique souvent la composition, comprennent souvent deux ingrédients seulement.
B+B = Bénédictine & Brandy (cognac)
Gin+It = Gin & vermouth rouge
C+C = Cointreau et cognac
Ces drinks se servent dans un verre à cognac ou dans un verre à vin.

ZOOMS

Ces boissons d'origine française, à base de cognac, de rhum ou de whisky, se préparent dans un shaker. Versez des glaçons, 2 cuillers à café de miel, 4 cuillers à café de crème liquide, 4 cl de l'alcool indiqué et agitez le tout avant de servir dans une coupe à cocktail.

UN MOT SUR LE SUCRE

Dans un bon nombre de cocktails, on utilise à la place de sucre en poudre raffiné du "sucre liquide", c'est-à-dire du sirop de sucre, qui se mélange particulièrement bien. Vous pouvez acheter ce sirop tout préparé ou bien le confectionner vous-même.
Portez à ébullition 1 kg de sucre dans 1 l d'eau. Laissez ensuite refroidir. La quantité obtenue sera suffisante pour la préparation d'une cinquantaine de cocktails.
2 cl de sirop de sucre correspondent à 1 cuiller à café de sucre en poudre.

GIN

Quand vous ouvrez un livre pour préparer un cocktail à vos invités, cela vous paraît souvent très difficile car, pour trois cocktails différents, vous avez besoin d'environ neuf bouteilles d'alcool différentes. Pour cette raison, nous vous présentons ici quelques recettes que même le néophyte que vous êtes, pourra réussir à son bar, devant ses invités. Nous vous montrons d'abord ce que vous pouvez faire à partir de gin et de cognac; achetez-vous ensuite un nouvel alcool que vous ajouterez et élargissez ainsi votre répertoire de recettes.

GIN FIZZ

4 cl de Gin
3 cl de jus de citron
3 cl de sirop de sucre

Mettez les ingrédients dans le shaker. Frappez et passez dans un tumbler. Ajoutez de l'eau gazeuse sans glace.

GIN ORANGE

4 cl de Gin
Jus d'orange
1/2 rondelle d'orange
1 cerise confite

Mettez dans un grand tumbler le gin et plusieurs glaçons. Frappez et ajoutez du jus d'orange. Décorez avec la rondelle d'orange et la cerise.

PINK GIN

3 gouttes d'Angostura
5 cl de Gin glacé

Rincez un verre à cocktail avec l'angostura. Ajoutez le gin.

GIN TONIC

4 cl de Gin
Schweppes
1 rondelle de citron ou de citron vert

Versez le gin dans un tumbler. Ajoutez la glace, le Schweppes et la rondelle de citron.

GIN BUCK

4 cl de Gin
Jus d'1/2 citron
Ginger ale

Versez le gin et le jus de citron dans un grand tumbler. Ajoutez le ginger ale.

GIN AND SIN

4 cl de Gin
2 cl de jus d'orange
2 cl de jus de citron
2 cuillères à bar de grenadine

Versez tous les ingrédients dans le shaker. Frappez et passez sans glace dans un petit tumbler.

ORANGE BLOSSOM

4 cl de Gin
8 cl de jus d'orange

Versez les ingrédients dans le shaker avec de la glace. Frappez fort et passez dans un grand verre à cocktail.

PINEAPPLE FIZZ

4 cl de Gin
2 cl de sirop de sucre
4 cl de jus d'ananas
2 cuillères à bar de jus de citron
Eau gazeuse

Versez tous les ingrédients dans le shaker avec de la glace. Frappez et passez dans un tumbler. Ajoutez de l'eau gazeuse.

COGNAC OU BRANDY

NIKOLASCHKA

4 cl de Cognac	
1 rondelle de citron	
1/2 cuillère à bar	
de café moulu	
1/2 cuillère à bar de sucre	

Mettez le cognac dans un petit verre à cognac. Couvrez le verre de la rondelle de citron. Saupoudrez de café et de sucre.
Prenez le citron dans la bouche, sucez-le et buvez ensuite le cognac.

BRANDY COCA-COLA

4 cl de Cognac
Coca-cola
1/2 rondelle de citron

Versez les glaçons et le cognac dans un grand tumbler. Frappez et ajoutez du Coca-Cola et la rondelle de citron.

BRANDY SOUR

4 cl de Cognac
3 cl de sucre
3 cl de jus de citron

Versez le cognac, le sucre, le jus de citron dans un shaker avec les glaçons. Passez dans un soúr.

BRANDY ZOOM

2 cuillères à bar de miel
4 cuillères à bar
de crème fraîche
4 cl de cognac

Versez tous les ingrédients dans le shaker avec des glaçons. Frappez et passez dans un verre à cocktail.

CLAIRE

4 cl de Cognac
1 jaune d'œuf
2 cl de sirop de sucre
Café froid
Café moulu

Versez le cognac, le jaune d'œuf et le sucre dans le shaker avec des glaçons. Frappez et passez dans un verre à cocktail. Ajoutez le café froid. Versez à la surface du café moulu.

BRANDY GUMB

4 cl de Cognac
1 cl de sirop de framboise
Jus d'1/2 citron
Framboises fraîches
ou congelées

Versez le cognac, le sirop de framboise et le jus de citron dans le shaker avec des glaçons. Frappez et passez dans un verre à cocktail. Servez avec des framboises fraîches ou congelées.

BRANDY COLLINS

4 cl de Cognac
3 cl de sirop de sucre
3 cl de jus de citron
Eau gazeuse

Mettez dans un grand tumbler le cognac, le sucre et le jus de citron avec des glaçons. Agitez fort et ajoutez de l'eau gazeuse. Servez très froid.

LUMUMBA

4 cl de Cognac
Cacao
1 cuillère à soupe
de crème fouettée
Poudre de cacao

Versez le cognac dans un verre ballon. Ajoutez du cacao et une fine couche de crème fouettée. Saupoudrez de poudre de cacao.

COINTREAU

APRICOT BRANDY

LIEUTENANT COLONEL

3 cl de Cognac

3 cl de Cointreau

Servez les ingrédients avec de la glace, dans un verre à Old-Fashioned.

SIDE-CAR

3 cl de Cognac

3 cl de Cointreau

2 cl de jus de citron

1 cerise confite

Versez le cognac, le Cointreau et le jus de citron dans le shaker avec de la glace. Frappez et passez dans un verre à cocktail. Décorez avec une cerise.

A Paris, pendant la première guerre mondiale, a vécu un capitaine dont le plus grand but était d'occuper les propriétaires de bars de la ville. Dans son bistrot favori, il buvait toujours un certain drink qui l'amenait à rentrer chez lui sur le side-car de sa moto. Le drink doit son nom à son side-car.

OHIO

2 cl de Cointreau

2 cl de Cognac

1 trait d'Angostura

Champagne

1 cerise confite

Versez le Cointreau, le cognac, l'angostura dans une coupe à champagne. Ajoutez deux glaçons, du champagne et la cerise.

DAME BLANCHE

3 cl de Gin

3 cl de Cointreau

2 cl de jus de citron

Versez les ingrédients dans le shaker avec de la glace. Frappez et passez dans un verre à cocktail.

PARADISE COCKTAIL

3 cl de Gin

3 cl d'Apricot Brandy

3 cl de jus d'orange

1 rondelle d'orange

1 cerise confite

Versez le gin, l'apricot brandy et le jus d'orange dans le shaker avec de la glace. Frappez et passez dans une coupe à cocktail. Décorez avec l'orange et la cerise.

IBU

3 cl d'Apricot Brandy

2 cl de Cognac

2 cl de jus d'orange

Champagne

Versez l'apricot brandy, le cognac et le jus d'orange dans le shaker avec de la glace. Frappez et passez dans une coupe à champagne. Ajoutez du champagne. Ne mettez jamais de champagne ou de liquide gazeux dans le shaker. Le fait de secouer provoque une poussée dans le shaker dont le couvercle saute.

APRICOT SOUR

4 cl d'Apricot Brandy

3 cl de sirop de sucre

4 cl de jus de citron

1/2 abricot

2 cerises

Versez l'apricot brandy, le sucre et le jus de citron dans le shaker avec beaucoup de glace. Frappez et versez dans un petit tumbler ou dans un verre à Old-Fashioned et décorez avec l'abricot et les cerises.

ANGEL'S FACE

2 cl de Gin

2 cl d'Apricot Brandy

4 cl de jus de pomme

Mélangez dans un verre à mélange, le gin, l'apricot brandy et le jus de pomme avec de la glace. Passez dans une coupe à cocktail.

CRÈME DE CACAO BRUNE

ALEXANDER

3 cl de crème de cacao brune
3 cl de Cognac
3 cl de crème fraîche
Noix de muscade râpée

Versez tous les ingrédients dans le shaker avec de la glace. Frappez et passez dans un grand verre à cocktail. Ajoutez de la noix de muscade râpée.

ALEXANDRA

3 cl de crème de cacao brune
3 cl de Gin
3 cl de crème fraîche
Noix de muscade râpée

Versez tous les ingrédients dans le shaker avec de la glace. Frappez et passez dans un grand verre à cocktail. Ajoutez de la noix de muscade râpée.

CHOCO FLIP

1 jaune d'oeuf
4 cl de crème fraîche
4 cl de crème de cacao brune
2 cl de Gin
1 cuillère à café de poudre de cacao
Eclats de chocolat

Battez tous les ingrédients, sauf les éclats de chocolat, dans le mixer avec de la glace. Mélangez et versez dans des verres à flip ou dans des verres tulipes légèrement ventrus. Décorez avec les éclats de chocolat.

DUDELSACK

3 cl de crème de cacao brune
3 cl de Gin
2 cl de jus de citron vert
1 zeste d'orange

Versez la liqueur, le gin et le jus de citron vert avec de la glace dans le shaker. Frappez et passez dans un verre à cocktail. Pressez un zeste d'orange et décorez avec un morceau du zeste.

ANGEL'S KISS

4 cl de crème de cacao brune
Crème fraîche
1 cerise

Versez la liqueur de cacao dans un grand verre tulipe. Fouettez légèrement la crème et mettez environ une couche de 2 cm d'épaisseur sur la liqueur. Décorez avec une cerise.

LUMUMBA II

3 cl de crème de cacao brune
2 cl de Cognac
Lait froid
Chocolat râpé

Versez la liqueur et le cognac dans un tumbler. Ajoutez du lait et du chocolat râpé. L'hiver vous pouvez préparer cette boisson avec du lait chaud.

LAYER CAKE

3 cl de crème de cacao brune
3 cl d'Apricot Brandy
3 cl de crème fraîche
1/2 abricot

Versez la liqueur, l'apricot brandy et la crème fraîche dans le shaker avec de la glace. Frappez et passez dans un verre à cocktail. Décorez avec l'abricot. Essayez donc de verser les trois ingrédients l'un sur l'autre dans un verre tulipe étroit.

CAMPARI

CAMPARI SODA

5 cl de Campari
1/2 rondelle de citron
Eau gazeuse

Versez le Campari, de la glace et le citron dans un grand tumbler. Ajoutez de l'eau gazeuse.
A la place de l'eau gazeuse, vous pouvez utiliser du Schweppes, du Bitter lemon ou du Seven-up.

CAMPOR

5 cl de Campari
Jus d'orange
1/2 rondelle d'orange
1 cerise

Versez le Campari avec de la glace dans un grand tumbler. Ajoutez du jus d'orange. Décorez avec la cerise et l'orange fixées sur un long pique.

CAMPARI-CHAMPAGNE

3 cl de Campari
Champagne

Versez le campari et le champagne froid dans une flûte.

COLOMBO

4 cl de Campari
4 cl de jus d'orange
2 cl de jus de citron
2 cl de jus de citron vert
Schweppes
1/4 de rondelle de citron vert

Mélangez le Campari et les jus de fruits avec de la glace. Ajoutez du Schweppes. Décorez avec la rondelle de citron vert coupée en petits morceaux.

APRICAMP

3 cl de Campari
3 cl d'Apricot Brandy
Jus d'orange
Zeste d'orange

Mélangez le Campari et l'apricot brandy avec de la glace dans le verre à mélange et passez dans un grand verre ballon. Ajoutez du jus d'orange et décorez avec le zeste d'orange.
Vous pouvez utiliser du champagne à la place du jus d'orange.

CONCORDE I

2 cl de Campari
4 cl de jus de fruit de la passion
Champagne
1 cerise
1 rondelle de kiwi
1 lychee

Mettez le Campari et le jus de fruit dans un grand verre. Ajoutez du champagne froid. Disposez la cerise, la rondelle de kiwi et le lychee sur un pique à cocktail et mettez-le dans le cocktail.

CAMPANILE

2 cl de Campari
2 cl de Gin
2 cl d'Apricot Brandy
Jus d'orange

Mettez tous les ingrédients dans le shaker avec des glaçons. Frappez et passez dans un verre à cocktail.

CAMPARI PUNCH

3 cl de Campari
2 cl de Cointreau
4 cl d'orange
4 cl de pamplemousse
2 cl de jus de citron

Mettez tous les ingrédients dans le shaker avec de la glace. Frappez et versez dans un verre à punch ou dans un verre ballon

WHISKEY

OLD FASHIONED I

4 traits d'Angostura
4 cl de Bourbon
1 cuillère à bar de sucre
1/2 rondelle d'orange
2 cerises

Mettez dans un tumbler à Old-Fashioned beaucoup de glace, l'angostura, le Bourbon, le sucre et la rondelle d'orange. Pressez la rondelle d'orange avec une cuillère à bar et ajoutez ensuite les cerises.

HORSE'S NECK

4 cl de Bourbon
2 traits d'Angostura
1 morceau de zeste de citron
Ginger ale

Mélangez dans un grand tumbler le whiskey et l'Angostura avec de la glace. Ajoutez le zeste de citron et le ginger ale. Décorez avec le zeste de citron.

WHISKEY SOUR

4 cl de Bourbon
3 cl de jus de citron
3 cl de sucre
1/2 rondelle d'orange
1 cerise

Versez le whiskey, le jus de citron et le sucre dans le shaker avec de la glace. Frappez et versez dans un petit tumbler avec de la glace. Décorez avec la rondelle d'orange et la cerise.
On peut servir le sour comme long drink. On verse alors le cocktail dans un grand tumbler et on ajoute de l'eau gazeuse.

DE RIGNEUR

4 cl de Bourbon
4 cl de jus de pamplemousse
2 cuillères à bar de miel

Versez tous les ingrédients dans le shaker avec de la glace. Frappez et passez dans un verre à cocktail.

MINT JULEP

Feuilles de menthe
1 cuillère à bar de sucre
4 cl de Bourbon
Eau gazeuse
1 brin de menthe

Mettez les feuilles de menthe hachées avec du sucre dans un tumbler. Ajoutez le whiskey et une goutte d'eau gazeuse. Remplissez le verre de glace pilée et remuez fort avec un agitateur. Le verre doit se couvrir de givre. Décorez avec la menthe fraîche et servez avec une paille.

BOURBON CAR

4 cl de Bourbon
2 cl de Cointreau
2 cl de jus de citron
1 cerise

Versez le Bourbon, le Cointreau et le jus de citron avec de la glace dans le shaker. Frappez et passez dans un verre à cocktail. Décorez avec la cerise.

ERANS

4 cl de Bourbon
1 cl d'Apricot Brandy
1 cl de Cointreau

Mélangez les ingrédients dans un verre à mélange. Passez dans un verre à cocktail.

EVERYTHING BUT

3 cl de Bourbon
3 cl de Gin
1 cuillère à soupe d'Apricot Brandy
2 cl de jus de citron
2 cl de jus d'orange
1 jaune d'oeuf
1 cuillère à thé de sirop de sucre

Mélangez tous les ingrédients avec de la glace dans le mixer ou dans le shaker et versez dans un verre ballon.

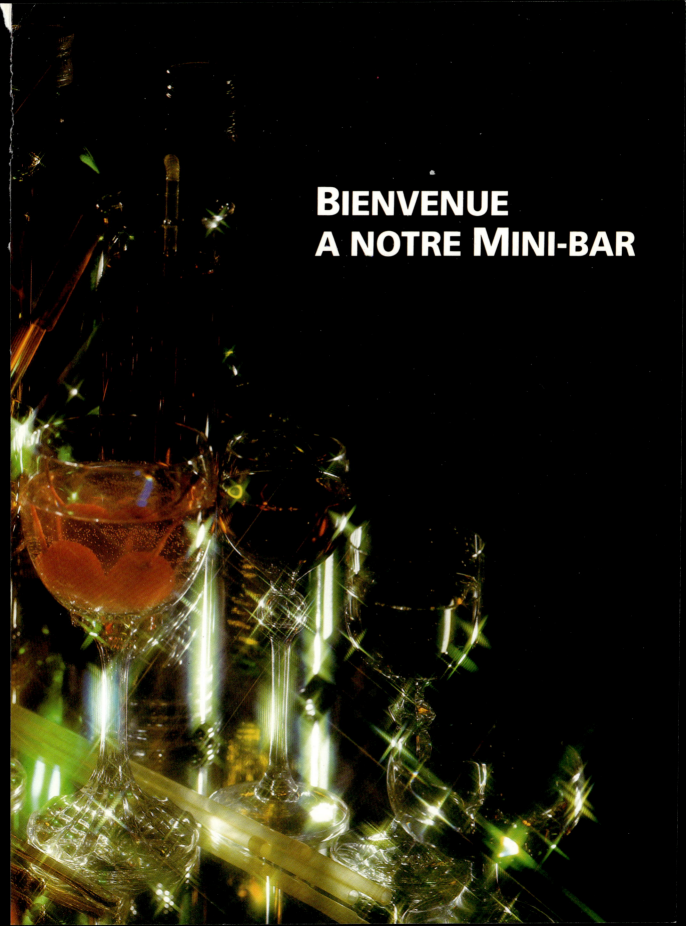

BIENVENUE
A NOTRE MINI-BAR

APERITIFS

Avoir un bon moment n'est pas un privilège ; ce n'est pas très difficile à obtenir. Cependant, avoir plusieurs bons moments est un privilège que seules peu de choses vous procurent. Il est incontestable que l'apéritif appartient à ces choses qui font passer le temps avant un bon dîner, mettent en appétit, ne déforment pas le goût, ne coupent pas la faim et laissent le temps de se détendre ou de bavarder avec d'autres. Il est rare que des personnes, même de mauvaise humeur, vident, moroses, leur verre sans même prendre le temps de le boire.

Font partie des classiques : le Vermouth, le sherry, le Campari, le Dubonnet et le Pastis. A recommander : les cocktails légers au champagne, le Martini dry, le vin et la bière.

Campari Cocktail

38

CAMPARI COCKTAIL

2 cl de Campari
2 cl de Gin
2 cl de Vermouth rouge
Rondelle d'orange

Versez les ingrédients dans le shaker avec des glaçons. Passez dans une coupe à cocktail et décorez avec une rondelle d'orange.

ADONIS

2 cl de Vermouth blanc
1 cl de Vermouth rouge
2 cl de Xérès très sec
1 goutte de bitter orange

Mélangez les ingrédients dans un verre à mélange avec de la glace et passez dans une coupe à cocktail.

BAMBOU

3 cl de Xérès très sec
3 cl de Vermouth sec
1 goutte de bitter orange
Rondelle de citron

Versez dans le verre à mélange le xérès, le Vermouth et le bitter orange avec des glaçons. Frappez et passez dans une coupe à cocktail. Décorez avec la rondelle de citron.

FANCY CAMPARI

4 cl de Campari
2 cl de vodka
2 gouttes d'Angostura

Mélangez dans le shaker avec des glaçons. Passez dans un verre à cocktail.

AMERICAN BEAUTY

2 cl de cognac
1 cl de Vermouth sec
1 cl de Vermouth rouge
0,5 cl de crème
de menthe blanche
2 cl de jus d'orange
Une goutte de porto

Versez tous les ingrédients, sauf le porto, dans le shaker avec des glaçons. Frappez et passez dans un tumbler rempli de glaçons. Versez doucement le porto.

Bambou

American Beauty

Fancy Campari

Adonis

BOMBAY

2 cl de Cognac
2 cl de Vermouth rouge
1 cl de Vermouth sec
3 gouttes de Pernod

Mélangez tous les ingrédients dans le verre à mélange avec des glaçons. Passez dans une coupe à cocktail refroidie.

BITTER SWEET

3 cl de Vermouth sec
3 cl de Vermouth blanc
1 trait d'Angostura
Zeste d'orange

Mélangez tous les ingrédients dans le verre à cocktail avec des glaçons. Ajoutez le zeste d'orange.

AMERICANO

2 cl de Campari
4 cl de Vermouth rouge
Zeste d'orange
Zeste de citron

Mélangez tous les ingrédients dans le verre à apéritif avec des glaçons. Ajoutez les zestes de fruits.
Vous pouvez aussi verser le mélange dans un tumbler et rajouter du Schweppes.

RALLO

4 cl de marsala
2 cl de cognac
2 cl de jus d'orange
Rondelle d'orange

Mélangez le marsala, le cognac et le jus d'orange dans le shaker avec des glaçons. Passez dans un verre à apéritif et décorez avec la rondelle d'orange.

CIDRE COCKTAIL

2 cl de Calvados
Cidre
Peau de pomme

Versez le Calvados dans un verre ballon; ajoutez le cidre et remuez un peu. Epluchez une pomme en faisant une spirale. En guise de décoration, mettez un morceau de peau de pomme dans le cocktail.

Primavera

Bombay

Bitter Sweet

Cidre Cocktail

40

Spécial Rudi
PRIMAVERA

Rondelle de citron

Sucre roux en poudre

4 cl de liqueur
de poire William

1 cl de Pisang Ambon

1 cl de jus de citron vert

Humectez le bord d'une coupe à cocktail avec une rondelle de citron et mettez-la ensuite dans du sucre en poudre. Mélangez les autres ingrédients dans le mixer avec des glaçons et passez dans le verre. Vous pouvez aussi décorer le drink en mettant une petite poire William. Voici ma dernière invention. Je l'ai mise au point pour le concours allemand de drinks à boire avant le diner, organisé en 1986, et j'ai remporté la troisième place. J'ai choisi ce drink pour participer aux dernières éliminatoires dont les vainqueurs iront en Italie pour le concours mondial de cocktails.

BERLENGA

6 cl de porto blanc

2 cl de gin

Rondelle de citron

Versez le porto et le gin dans le shaker avec des glaçons. Mélangez et passez dans un verre à apéritif. Décorez avec la rondelle de citron.

TOMATE

2 cl de Pastis

1 cl de grenadine

Eau

Versez le Pastis et la grenadine dans un verre à apéritif. Ajoutez les glaçons et remuez. Complétez avec de l'eau.

Rallo

MANHATTAN DRY

4 cl de Whiskey Canadien
2 cl de Vermouth sec
Zeste de citron

Mélangez bien le Whis-
key et le Vermouth
dans le verre à mélange
avec des glaçons. Pas-
sez dans une coupe à
cocktail préalablement
refroidie et ajoutez le
zeste de citron.

Le Manhattan dry a plusieurs origines.
La recette d'origine s'appelait "Coow-woow". Elle se composait d'une cuillère à thé de sucre pour un demi-verre de rhum, d'eau et d'une grosse pincée de gingembre. Cette boisson a dû réussir à Pierre Minnewit, originaire de Wesel sur le Rhin, en lui permettant d'acheter en 1624 le terrain de l'actuel Manhattan, pour la somme de 24 dollars, au chef de la tribu des Indiens de Manhattan. Qui s'étonnera donc que la recette de l'époque ait été modifiée ?
Une autre histoire sur l'origine de ce drink concerne Lady Randolph Churchill qui donna un grand dîner dans un club privé New Yorkais, en l'honneur de la nomination du nouveau Gouverneur. Elle y offrit un nouveau drink qui se composait de Bourbon, de Vermouth et d'Angostura. Le nom de ce club était "le Manhattan".

MANHATTAN

4 cl de Whiskey canadien	
2 cl de Vermouth rouge	
1 trait d'Angostura	
1 cerise confite	

Mélangez le whiskey, le vermouth et l'angostura dans le verre à mélange avec des glaçons. Passez dans une coupe à cocktail. Décorez avec la cerise confite.

BRONX

4 cl de Gin	
2 cl de Vermouth rouge	
3 cl de jus d'orange	
2 cm de zeste d'orange	

Mélangez le gin, le vermouth et le jus d'orange dans le shaker avec des glaçons. Secouez et passez dans une coupe à cocktail préalablement refroidie. Ajoutez le zeste de citron.

MARTINI DRY

5 cl de Gin	
1 cl de Vermouth sec	
1 olive	

Mélangez le gin et le vermouth dans le verre à mélange avec des glaçons. Passez dans une à cocktail. Décorez olive.

MARTINI SWEET

4 cl de Gin	
2 cl de Vermouth rouge	
1 cerise confite	

Mélangez le gin et le vermouth rouge dans le verre à mélange avec des glaçons. Passez dans une coupe à cocktail. Décorez avec la cerise.

Un barman nommé Martinez est considéré comme l'inventeur du roi du cocktail.

MARTINI MEDIUM COCKTAIL

4 cl de Gin	
1 cl de Vermouth rouge	
1 cl de Vermouth sec	
2 cm de zeste de citron	

Mélangez le gin et le vermouth dans le verre à mélange avec des glaçons. Passez dans une coupe à cocktail. Ajoutez le zeste de citron.

Manhattan Medium Cocktail

Martini Medium Cocktail

Martini Sweet

Martini Dry

Bronx

Manhattan

45

Cynar Cocktail

3 cl de cynar

3 cl de Vermouth blanc

Rondelle d'orange

Mélangez le cynar et le Vermouth avec des glaçons dans un verre à apéritif. Décorez avec la rondelle d'orange.

Dubonnet Creme

6 cl de Dubonnet

3 cl de crème de cassis

Eau gazeuse

2 traits de jus de citron

Rondelle de citron

Mélangez le Dubonnet et la crème de cassis avec des glaçons dans un verre à long drink. Ajoutez de l'eau gazeuse, le jus de citron et la rondelle de citron.

Sangria Porto

4 cl de Porto rouge

1 cl de Curaçao bleu

1 cl de sirop de sucre

Noix de muscade

Mettez des glaçons jusqu'à la moitié du shaker. Versez les ingrédients, frappez et passez dans une coupe à cocktail. Ajoutez la noix de muscade.

Five o'clock

2 cl de Gin

2 cl de Rhum blanc

2 cl de Vermouth rouge

2 cl de jus d'orange

Mettez tous les ingrédients dans le shaker avec des glaçons. Frappez et passez dans une coupe à cocktail.

Cynar Cocktail   Dubonnet Crème

Rolls Royce

2 cl de Gin

2 cl de Vermouth sec

2 cl de Vermouth rouge

1 trait de Bénédictine

Mettez tous les ingrédients dans le verre à mélange avec des glaçons. Mélangez bien et passez dans une coupe à cocktail.

Feuilles d'Automne

2 cl de Calvados

1 cl de Vermouth rouge

1 cl de Vermouth sec

2 cm de zeste de citron

Mélangez bien le Calvados et le Vermouth dans le verre à mélange avec des glaçons. Passez dans une coupe à cocktail préalablement refroidie. Ajoutez le zeste de citron.

Vent d'Est

2 cl de Vodka

2 cl de Vermouth sec

2 cl de Vermouth rouge

1/2 rondelle d'orange

1/2 rondelle de citron

Versez la vodka et le Vermouth dans le verre à apéritif avec des glaçons. Mélangez et décorez avec les rondelles de fruits.

Rose

3 cl de Vermouth sec

3 cl de Kirsch

1 trait de grenadine

Versez tous les ingrédients dans le verre à mélange avec des glaçons. Mélangez et passez dans une coupe à cocktail.

Sangria Porto

Rolls Royce

Five o'clock

46

Feuilles d'automne

GIBOULÉES

3 cl de Cognac
1 cl de Bénédictine
3 cl de jus d'orange

Versez tous les ingré-
dients dans le shaker avec
des glaçons. Frappez et
versez dans une coupe
préalablement refroidie.

Vent d'Est

Rose

Giboulées

DRINKS
AU CHAMPAGNE

CHAMPAGNE COCKTAIL

1 morceau de sucre
2 traits d'Angostura
Champagne

Mettez le morceau de sucre dans une flûte. Versez l'angostura et ajoutez du champagne.

BELLINI

5 cl de nectar de pêche

1 trait d'Apricot Brandy

Champagne

Mettez le nectar de pêche et l'apricot brandy dans le verre à champagne. Mélangez bien et ajoutez le champagne.

CHICAGO

2 cl de Cognac

1 cuillère à bar de Cointreau

1 trait d'Angostura

Champagne

Mélangez le cognac et le Cointreau dans le verre à mélange avec des glaçons. Passez dans un verre à champagne. Ajoutez du champagne.

FRENCH 75

3 cl de Gin

1 cl de jus de citron

1 cuillère à thé de sirop de sucre

Champagne.

Versez le gin, le jus de citron et le sirop de sucre dans le shaker. Frappez et passez dans un verre à champagne. Ajoutez du champagne.

FRENCH 76

3 cl de Vodka

1 cl de jus de citron

1 cuillère à thé de sirop de sucre ou de grenadine

Champagne

Versez la vodka et le jus de citron avec du sirop de sucre dans le shaker. Frappez et passez dans un verre à champagne. Ajoutez du champagne.

Champagne Citron

Southern Trip

Ritz

Suzie Wong

Flying

Vulcano

CHAMPAGNE CITRON VERT

3 cl de liqueur de citron vert
3 cl de bitter lemon
Champagne
1 rondelle de citron vert

Versez la liqueur et le bitter lemon dans une coupe à champagne. Ajoutez le champagne et décorez avec la rondelle de citron vert.

SUZIE WONG

2 cl de Vodka
2 cl de liqueur de mandarine
2 cl de jus de citron
Champagne

Mélangez la vodka, la liqueur et le jus de citron dans le mixer avec des glaçons. Passez dans une flûte et ajoutez du champagne.

SOUTHERN TRIP

4 cl de Southern Comfort
2 cl de jus d'orange
Champagne

Versez le Southern Comfort et le jus d'orange dans une coupe à champagne préalablement refroidie. Ajoutez du champagne.

VULCANO

2 cl d'eau-de-vie de framboise
2 cl de Curaçao bleu
Champagne
2 cm de zeste d'orange

Versez l'eau-de-vie et la liqueur dans une flûte. Mettez le zeste d'orange; mélangez et ajoutez du champagne.

RITZ

2 cl de Cognac
2 cl de Cointreau
2 cl de jus d'orange
Champagne

Versez le cognac, le jus d'orange, le Cointreau dans le shaker avec des glaçons. Frappez et passez dans une flûte. Ajoutez du champagne.

FLYING

2 cl de Gin
2 cl de Triple Sec
2 cl de jus de citron
Champagne

Mettez le gin, le curaçao et le jus de citron avec des glaçons dans le shaker. Frappez et passez dans une flûte. Ajoutez du champagne.

SOUTHERN SPECIAL

4 cl de Rhum blanc
2 cl de liqueur d'ananas
1 cl de jus de citron
Champagne brut
1 cerise confite
1 tranche d'ananas
1 rondelle de citron

Mélangez le rhum, la liqueur, le jus de citron avec des glaçons dans le shaker. Passez dans un verre à long drink et ajoutez du brut. Fixez la cerise sur un petit pique à cocktail. Coupez la rondelle et la tranche de fruit en deux et mettez-les dans le verre.

Southern Special

French 76

French 75

Chicago

Bellini

GASTON LONGDRINK

4 cl de Cognac
1 cl de Galliano
1 cl d'Amaretto
Champagne
Fruits de saison

Mélangez le cognac, le Galliano et l'Amaretto dans un verre à long drink avec des glaçons . Ajoutez du champagne. Garnissez de fruits de saison.

Gaston était un monsieur à qui l'on ne pouvait rien faire du tout. Lors d'une réception il critiqua le cognac; l'hôte versa alors du Galliano. Puis il trouva que la vanille était trop forte. Pour cette raison, une goutte d'Amaretto fut alors ajoutée. "Ca pique un peu" fit-il remarquer. Les oreilles échauffées, l'hôte versa sa dernière goutte de champagne dans le verre de son irritant invité. C'est alors que la couleur déplut à Gaston. L'hôtesse attrapa la corbeille de fruits et mit une poignée de fruits dans le verre. "Gaston, voici votre long drink" A partir du moment où il eut reçu son drink, il compta parmi les invités les plus satisfaits.

CHAMPAGNE DAISY

1 cl de grenadine
2 cl de jus de citron
2 cl de Chartreuse jaune
Champagne
Fraises, Cerise
et Framboises

Mélangez la grenadine, le jus de citron et la Chartreuse dans le shaker avec des glaçons. Passez dans une coupe à champagne, ajoutez du champagne et garnissez d'un fruit.

CHAMPAGNE ORANGE

2 cl de Curaçao
(si possible orange)
Champagne
Zeste d'orange

Versez le curaçao dans une flûte. Ajoutez du champagne. Décorez à l'aide d'un zeste d'orange d'environ 10 cm de long.

Champagne Daisy

Gaston Longdrink

Champagne Orange

Kir Royal

1,5 cl de crème de cassis

Champagne

Mettez la crème de cassis dans une flûte et ajoutez du champagne.

Le kir classique se compose de crème de cassis et de vin blanc. Son nom vient de Félix Kir, Maire de la ville Française de Dijon. Il vécut jusqu'à 92 ans et aimait boire et manger. Depuis lors, le kir d'origine n'a cessé d'être modifié. Une très bonne version du kir est le kir royal, fabriqué avec du champagne.

Kir Imperial II

2 cl de crème de cassis

2 cl de Vodka

Champagne

Versez la crème de cassis et la vodka dans une flûte. Mélangez et ajoutez du champagne.

Champagne Fruits

1 cl de Cognac

2 cl d'Apricot Brandy

5 cl de jus d'orange

Champagne

Cerise confite

Mettez le cognac, l'apricot brandy et le jus d'orange dans le shaker avec de la glace. Frappez et versez dans une coupe à champagne. Ajoutez du champagne et décorez avec la cerise.

Ohio d'Amerique

2 cl de Whiskey canadien

1 cl de Vermouth rouge

1 trait d'Angostura

Champagne

Mélangez le whiskey, le Vermouth et l'angostura dans le verre à mélange avec des glaçons. Passez dans une coupe a cocktail et ajoutez du champagne.

Kalte Ente

5 cl de Vin blanc

Champagne

1 morceau de zeste de citron

Versez le vin blanc et le champagne dans une coupe à champagne. Ajoutez le morceau de zeste de citron.

Champagne Abricot

2 cl d'Apricot Brandy

3 cl de Rhum blanc

Champagne

Mélangez l'apricot brandy et le rhum dans le verre à mélange avec des glaçons. Passez dans une coupe à champagne et ajoutez du champagne.

Whip

2 cl de grain de blé

8 cl de jus de pamplemousse

Champagne

Mélangez le blé et le jus de fruit dans le shaker avec des glaçons. Passez dans un verre à long drink et ajoutez du champagne brut.

Margret Rose

2 cl de Campari

Champagne

Versez le Campari dans une flûte. Ajoutez du champagne.

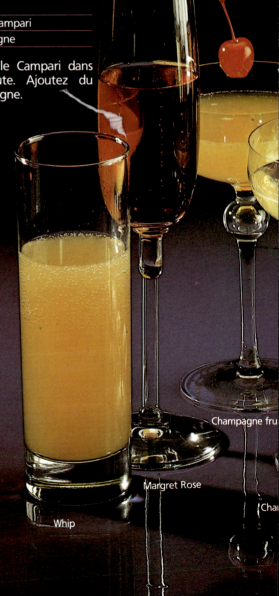

Champagne fru

Margret Rose

Whip

Cha

DÉTENTE

1 cl de Vodka
1 cl d'eau-de-vie
de framboise
Champagne

Mélangez la vodka et
l'eau-de-vie de framboise
dans une flûte. Ajoutez du
champagne.

CHAMPAGNE KIWI

4 cl de liqueur de kiwi
1 cl de jus de citron
Champagne
Rondelles de kiwi

Mettez la liqueur de kiwi
et le jus de citron dans un
verre à long drink. Ajou-
tez du champagne et agi-
tez brièvement. Décorez
avec les rondelles de kiwi.

Kir Imperial II

Kir Royal

agne Abricot

Kalte Ente

Détente

Ohio d'Amérique

Champagne Kiwi

55

SILVER MOON

2 cl de Gin
2 cl d'Apricot Brandy
2 cl de jus d'orange
Zeste d'orange

Mélangez le gin, l'apricot brandy et le jus d'orange dans le shaker avec des glaçons. Passez dans une coupe à cocktail et décorez avec l'orange.

BLUE EYES

3 cl de Gin
2 cl de Vermouth blanc
1 cl de Curaçao bleu
Ginger ale
Zeste d'orange
Cerise confite

Versez le gin, le Vermouth et le curaçao sur les glaçons dans un verre à long drink. Ajoutez du ginger ale. Décorez avec les fruits.

GOLDEN FIZZ

6 cl de Gin
3 cl de jus de citron
2 cl de sirop de sucre
1 jaune d'œuf
Eau gazeuse

Versez le gin, le jus de citron, le sucre et le jaune d'œuf dans le shaker avec des glaçons. Frappez et passez dans un verre à long drink rempli de glace. Ajoutez de l'eau gazeuse.

ADAM ET EVE

2 cl de Gin
2 cl de Drambuie
2 cl d'Amaretto
1 cl de jus de citron
1 trait de grenadine
Rondelle de citron
Cerise confite

Versez le gin, le Drambuie, l'Amaretto et le jus de citron dans le shaker avec des glaçons. Frappez et passez dans une coupe à cocktail. Décorez avec les fruits.

Tango I (P. 59)

Blue Eyes

Adam et Eve

Silver Moon

Golden Fizz

COCKTAILS
ET
AUTRES DRINKS

Atta Boy

Maxim Cocktail

... AIL MAXIME

3 cl de Gin

2 cl de Vermouth rouge

1 cl de crème de cacao blanche

Mélangez tous les ingrédients dans le verre à mélange avec des glaçons. Passez dans une coupe à cocktail.

TOM COLLINS

5 cl de Gin

2 cl de jus de citron

2 cl de sirop de sucre

Eau gazeuse

Rondelle de citron

Mélangez le gin, le jus de citron et le sirop de sucre dans un tumbler avec des glaçons. Ajoutez de l'eau gazeuse et décorez avec la rondelle de citron.

ATTA BOY

5 cl de Gin	
1 cl de Vermouth sec	
3 traits de grenadine	

Versez tous les ingrédients dans un verre à mélange avec des glaçons. Mélangez et passez dans une coupe à cocktail.

HABERFIELD

4 cl de Gin	
1 cl de Vermouth sec	
1 cl de jus de citron	

Versez les ingrédients dans le shaker avec quatre glaçons. Frappez et passez dans une coupe à cocktail.

...GE

2 cl de Gin	
2 cl de Rhum blanc	
1 cl de Vermouth sec	
1 cl de Vermouth rouge	
3 cl de jus d'orange	
1 trait de grenadine	

Versez tous les ingrédients dans le shaker avec des glaçons. Frappez et passez dans une coupe à cocktail préalablement refroidie.

NEGRONI

2 cl de Gin	
2 cl de Campari	
2 cl de Vermouth rouge	
Eau gazeuse	
Rondelle d'orange	

Mélangez le Gin, le Campari et le Vermouth dans un verre ballon. Ajoutez de l'eau gazeuse et décorez avec la rondelle d'orange.

...E DOG COOLER

3 cl de Gin	
3 cl de jus d'orange	
1 cl de Triple Sec	
Ginger ale	
Rondelle d'orange	

Versez le gin, le jus d'orange et le curaçao dans un shaker avec des glaçons. Frappez et passez dans un verre à long drink. Ajoutez du ginger ale et décorez avec la rondelle d'orange.

MINT FIZZ

5 cl de Gin	
1 cl de crème de menthe verte	
2 cl de sirop de sucre	
3 cl de jus de citron	
Eau gazeuse	

Mélangez longtemps le gin, la crème de menthe et le jus de fruit avec des glaçons. Passez dans un verre à long drink, ajoutez des glaçons et de l'eau gazeuse.

Un mélange n'est pas toujours un cocktail. Il faut noter le principe suivant : on peut également mettre les cocktails sous la rubrique "Fancy Drinks" car tout cocktail résulte de l'imagination du barman.

Selon les réglementations internationales, un cocktail ne doit pas contenir plus de 6 cl d'alcool et plus de 5 ingrédients. Tenez aussi compte de l'ajout de gouttes et de traits.

TANGO I

2 cl de Gin	
2 cl de Vermouth rouge	
2 cl de Cointreau	
8 cl de jus d'orange	
2 cl de jus de citron	
Zeste d'orange	
Cerise confite	

Versez le gin, le Vermouth, le Cointreau et le jus de fruit dans le shaker avec des glaçons. Frappez et passez dans un verre à long drink. Ajoutez de la glace pilée et décorez avec les fruits. (Photo p. 57)

PINK LADY

4 cl de Gin	
2 cl de Calvados	
1 cl de grenadine	
1 cl de jus de citron	

Frappez le tout dans le shaker avec des glaçons. Passez dans une coupe à cocktail.

DAME BLANCHE

4 cl de Gin	
2 cl de Triple Sec	
2 cl de jus de citron	

Versez tous les ingrédients dans le shaker avec des glaçons. Frappez et passez dans une coupe à cocktail.

Dame Blanche

Pink Lady

Silver Fizz

6 cl de Gin

3 cl de jus de citron

2 cl de sirop de sucre

1 blanc d'œuf

Eau gazeuse

Frappez longtemps le gin, le jus de citron, le sirop de sucre et le blanc d'œuf dans le shaker avec des glaçons. Passez dans un verre à long drink rempli de glaçons. Ajoutez de l'eau gazeuse.

Golden Dawn

3 cl de Gin

1 cl d'Apricot Brandy

1 cl de jus d'orange

Versez les ingrédients dans le shaker avec des glaçons. Frappez et passez dans une coupe à cocktail.

Opera

3 cl de Gin

3 cl de Dubonnet

1 trait de Marasquin

Versez tous les ingrédients dans le verre à mélange avec des glaçons. Frappez et passez dans une coupe à cocktail.

Bijou

3 cl de Gin

1 cl de Vermouth Sec

1 cl de Chartreuse verte

Versez tous les ingrédients dans le verre à mélange avec des glaçons. Frappez et passez dans une coupe à cocktail préalablement refroidie.

Red Lion

3 cl de Gin

2 cl de Grand Marnier

3 cl de jus d'orange

1 cl de jus de citron

1 trait de grenadine

Versez tous les ingrédients dans le shaker avec des glaçons. Frappez et passez dans une coupe à cocktail préalablement refroidie.

Maiden Cocktail

3 cl de Gin

1 cl d'Apricot Brandy

1 cl de jus de citron

Versez tous les ingrédients dans le shaker avec des glaçons. Frappez et passez dans une coupe à cocktail.

Claridge

Alaska

Blue Devil

Red Gin

PARK LANE

4 cl de Gin

2 cl d'Apricot Brandy

4 cl de jus d'orange

1 trait de grenadine

1 trait de jus de citron

Versez tous les ingrédients dans le shaker avec des glaçons. Frappez et passez dans une coupe à cocktail préalablement refroidie.

BLUE DEVIL

4 cl de Gin

2 cl de Curaçao bleu

2 cl de jus de citron

1 cl de sirop de sucre

Versez tous les ingrédients dans le shaker avec des glaçons. Frappez et passez dans une coupe à cocktail.

RED GIN

4 cl de Gin

1 cl de Cherry Brandy

Rondelle d'orange

Versez le gin et le cherry brandy dans le shaker avec des glaçons. Frappez et passez dans une coupe à cocktail. Décorez avec l'orange.

ALASKA

4 cl de Gin

2 cl de Chartreuse jaune

1 trait de bitter orange

Rondelle d'orange

Versez le Gin, la Chartreuse et le bitter orange dans le verre à mélange avec des glaçons. Frappez et passez dans une coupe à cocktail préalablement refroidie. Décorez ensuite avec la rondelle d'orange.

CLARIDGE

2 cl de Gin

2 cl de Vermouth sec

1 cl d'Apricot Brandy

1 cl de Triple Sec

Versez tous les ingrédients dans le verre à mélange avec des glaçons. Frappez et passez dans une coupe à cocktail préalablement refroidie.

Bijou

Maiden Cocktail

rk Lane

Red Lion

Silver Fizz

Opera

Golden Dawn

63

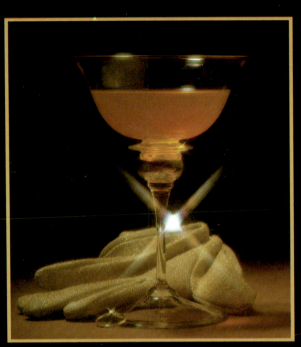

GOLDFINGER

2 cl de Vodka

4 cl de Rosso Antico

1 cl de jus d'orange

1 trait de jus d'orange

Versez tous les ingré-
dients dans le shaker avec
des glaçons. Frappez et
passez dans une coupe à
cocktail.

Silver Wodka Fizz

Russian Car

Screwdriver

Amato

RUSSIAN CAR

4 cl de Vodka

1 cl de Galliano

1 cl de crème de cacao blanche

4 cl de crème fraîche

Versez tous les ingré-dients dans le shaker avec des glaçons. Frappez et passez dans une coupe à cocktail.

AMATO

2 cl de Vodka

2 cl de Vermouth Sec

2 cl de liqueur de mandarine

2 cm de zeste d'orange

Mélangez bien la Vodka, le Vermouth et la liqueur dans le mixer avec des gla-çons. Passez dans un verre à cocktail. Ajoutez le zeste d'orange et des glaçons.

SILVER VODKA FIZZ

6 cl de Vodka

3 cl de jus de citron

2 cl de sirop de sucre

1 blanc d'œuf

Eau gazeuse

Frappez longtemps la vodka, le jus de citron, le si-rop de sucre et le blanc d'œuf dans le shaker avec des glaçons. Passez dans un verre à long drink rem-pli de glaçons et ajoutez de l'eau gazeuse.

SCREWDRIVER

4 cl de Vodka

10 cl de jus d'orange

Mélangez la Vodka et le jus d'orange dans un verre à long drink avec des gla-çons. A l'occasion de son anniversaire, le responsa-ble d'une plateforme pé-trolière en Iran décida de le fêter avec ses employés américains. Il voulut don-ner à ses collègues un drink supplémentaire. La vodka était trop chaude pour la boire pure et y mettre de la glace l'aurait rendue quelconque. Il ajouta donc du jus d'oran-ge mais il n'avait pas d'agi-tateur sous la main Ses collègues sortirent alors leur tourne-vis (en anglais "screwdriver"). D'où a été tiré le nom de ce drink.

BULL SHOT

5 cl de Vodka

10 cl de consommé
de boeuf

Sel

Poivre

Mélangez tous les ingrédients avec des glaçons dans un verre à long drink.

APRICOT DAILY

4 cl de Vodka

2 cl d'Apricot Brandy

1 cl de jus de citron

Bitter lemon

Cerise confite

Versez la vodka, le brandy et le jus de citron avec des glaçons dans un shaker. Frappez et passez dans un verre à long drink. Ajoutez du bitter lemon. Décorez avec la cerise.

BLOODY BALL

5 cl de Vodka

5 cl de jus de tomate

5 cl de consommé de boeuf

Sel

Poivre

Sauce Worcester

Mélangez tous les ingrédients avec des glaçons dans le verre à long drink.

BLOODY MARY

4 cl de Vodka

1 cl de jus de citron

10 cl de jus de tomate

Sel de céleri

Poivre

Tabasco

Sauce Worcester

Versez tous les ingrédients dans le shaker avec des glaçons. Frappez et passez dans un verre à long drink.

Par une belle matinée chaude, un homme nommé George Jessel rentra dans un bar de Palm Springs en vascillant. Il était encore de bonne heure et cet homme chancelant était probablement parti d'une réception peu de temps avant. Les mains accrochées au bar, il commanda un "pick me up". Le barman, qui était en discussion avec Mary, était dans l'impossibilité de satisfaire sa demande. George se donna alors beaucoup de mal et prit lui-même le jus de tomate, le jus de citron et la vodka. "Well, this is a bloody drink, Mary" grommela le barman en voyant le drink de son hôte. A la suite de quoi, il donna son nom à ce drink.

Bloody Mary

Apricot Daily

Bloody Ball

Bull Shot

CASABLANCA

3 cl de Vodka

2 cl de liqueur d'oeufs

2 cl de jus de citron

4 cl de jus d'orange

Versez tous les ingrédients avec des glaçons dans le shaker. Frappez et passez dans un verre à long drink à moitié rempli de glace pilée.

FINLADY

4 cl de Vodka

2 cl d'Apricot Brandy

1 cl de jus de citron

Mélangez tous les ingrédients avec des glaçons dans le shaker. Passez dans un verre à cocktail.

GREEN SPIDER

4 cl de Vodka

2 cl de sirop de menthe

Eau gazeuse

Feuilles de menthe

Mettez des glaçons dans un verre à long drink. Ajoutez la vodka et le sirop de menthe. Versez de l'eau gazeuse, mélangez et décorez avec les feuilles de menthe.

NUIT D'AMOUR

4 cl de Vodka

1 cl de Drambuie

1 trait d'Angostura

Mélangez tous les ingrédients avec de la glace dans le mixer. Passez dans une coupe à cocktail refroidie.

Casablanca

Finlady

Green Spider

Nuit d'Amour

GREYHOUND

6 cl de Vodka

6 cl de jus de pamplemousse

Mélangez la vodka et le jus de fruit avec des glaçons dans le verre à long drink.

LE MANS

3 cl de Vodka

3 cl de Cointreau

Eau gazeuse

Rondelle de citron

Mélangez la vodka et le Cointreau dans un tumbler avec des glaçons. Ajoutez de l'eau gazeuse et décorez avec la rondelle de citron.

MORTON'S SPECIAL

4 cl de Vodka

2 cl de Tequila

4 cl de jus d'orange

1 trait de grenadine

Mettez tous les ingrédients dans le shaker avec des glaçons. Frappez et passez dans une coupe à cocktail préalablement refroidie.

MOSCOW MULE

6 cl de Vodka

Ginger Ale

1 trait de jus de citron

Zeste de citron

Mélangez la vodka, le ginger ale et le jus de citron dans le verre à longdrink avec des glaçons. Ajoutez le zeste de citron.

HAIR RAISER

2 cl de Vodka

2 cl de Dubonnet

2 cl de Schweppes

Mélangez doucement tous les ingrédients dans le tumbler avec des glaçons.

Morton's Special

Moscow Mule

Le Mans

Hair Raiser

Greyhound

HARVEY WALLBANGER

4 cl de Vodka
2 cl de Galliano
10 cl de jus d'orange

Mélangez tous les ingrédients dans un verre à long drink avec des glaçons.

Harvey était un Surfer connu qui remportait toujours la deuxième place dans des compétitions importantes. Finalement, il réussit à remporter une grande victoire qu'il ne manqua pas de fêter. C'était un amateur de vanille. Dans le "Screwdriver" qu'il servit à ses amis, il mit bien sûr un trait de Galliano. Voulant trinquer avec chacun de ses invités, il dut boire énormément et, en rentrant chez lui, il tituba tellement d'un mur à l'autre qu'il se cogna violemment.

SWINGER

4 cl de Vodka
2 cl d'Amaretto
1 cl de jus de citron vert
8 cl de jus d'orange
Rondelle d'orange

Versez la vodka, l'Amaretto, les jus de citron vert et d'orange dans le shaker avec des glaçons. Frappez fort, passez dans un verre à long drink et décorez avec la rondelle d'orange.

SALTY DOG

5 cl de jus de pamplemousse
Sel
5 cl de Vodka

Mettez le bord d'une coupe à cocktail dans le jus de fruit puis dans le sel. Frappez le jus de fruit et la Vodka dans le shaker avec des glaçons et passez dans la coupe à cocktail.

VOLGA CLIPPER

3 cl de Vodka
2 cl d'Apricot Brandy
3 cl de jus d'orange

Versez tous les ingrédients dans le shaker avec des glaçons et passez dans une coupe à cocktail préalablement refroidie.

Salty Dog

Wolga Clipper

Swinger

Harvey Wallbanger

RHUM SOUR

5 cl de Rhum blanc
ou ambré

2 cl de sirop de sucre

2 cl de jus de citron

Eau gazeuse

Rondelle de citron

Cerise confite

Versez le rhum, le sirop de sucre et le jus de citron dans le shaker avec des glaçons. Frappez et passez dans un sour. Ajoutez une goutte d'eau gazeuse et décorez avec le citron et la cerise.

LOOKING AT YOU

10 cl de jus d'orange
Sucre
2 cl de Rhum blanc
1 cl de Rhum ambré
3 cl de Sambuca
Rondelle d'orange
Cerise confite

Mettez le bord d'un verre à long drink dans un peu de jus de fruit et, ensuite, dans du sucre en poudre. Mélangez le rhum, la Sambuca et le jus d'orange avec des glaçons dans le shaker. Passez dans le verre. Ajoutez de la glace pilée et décorez avec les fruits.

KON-TIKI

3 cl de Rhum blanc
1 cl de Southern Comfort
1 cl de Cointreau
1 cl de Rosso Antico
12 cl de jus d'ananas
Tranche d'ananas
Rondelle d'orange
Cerise confite

Versez le rhum, le Southern Comfort, le Cointreau, le Rosso Antico et le jus de fruit dans le shaker avec des glaçons. Frappez et passez dans un maxi-verre à long drink. Décorez avec les fruits.

RHUM HIGHBALL

4 cl de Rhum ambré
Ginger ale
3 rondelles de citron vert

Mettez les glaçons dans un verre à long drink; versez le rhum et le ginger ale. Coupez en deux les rondelles de citron vert jusqu'à 2 cm de la pulpe et fixez-les sur le verre.

Rhum Sour

Rhum Highball

Kon-Tiki

Looking at you

73

Mai Tai

4 cl de Rhum ambré
2 cl de Rhum fort
1 cl d'Apricot Brandy
2 cl de jus de citron
4 cl de jus de citron vert
Feuille de menthe

Versez le rhum, l'apricot brandy, les jus de citron et de citron vert dans le shaker avec des glaçons. Frappez et passez dans un maxi-verre à long drink, à moitié rempli de glace pilée. Décorez avec la feuille de menthe.

Ce drink est dû à un célèbre barman Victor J. Bergeron. Un jour, alors qu'il recevait Ham et Carie, des amis de Tahiti, il leur offrit une nouvelle boisson. Carrie en but une gorgée et dit "Mai Tai - Roa Ae", ce qui doit avoir le sens de "fin du fin".

Amaro

4 cl de Rhum blanc
2 cl d'Amaretto
Rondelle de citron
1 cuillère à thé
de café moulu

Mélangez le rhum et l'Amaretto dans le verre à mélange avec des glaçons. Passez dans un verre à vin du Sud. Coupez en deux la rondelle de citron jusqu'à 3 cm de la pulpe. Mettez-la sur le verre et saupoudrez de café moulu. Mangez le citron et buvez le drink.

Silver Rhum Fizz

Mai Tai

Planters Punch I

Planters Punch II

Amaro

74

Cuba Libre

Rauhreif

Merveilles Tropicales

SILVER RHUM FIZZ

6 cl de Rhum

3 cl de jus de citron

1 blanc d'œuf

Eau gazeuse

Versez le rhum, le jus de ci-tron, le sirop de sucre et le blanc d'œuf dans le shaker avec des glaçons. Frappez et passez dans un verre à long drink rempli de gla-çons. Ajoutez de l'eau ga-zeuse.

PLANTERS PUNCH I

3 cl de Rhum ambré

2 cl de Rhum blanc

1 cl de Triple Sec

1 cl de grenadine

2 cl de jus de citron

6 cl de jus d'orange

1 trait d'Angostura

Tranche d'ananas

Cerise confite

Versez le rhum, la liqueur, la grenadine, les jus de fruits et l'angostura dans un verre à long drink rem-pli de glaçons. Mélangez et décorez avec les fruits.

PLANTERS PUNCH II

5 cl de Rhum ambré

2 cl de Rhum blanc

2 cl de jus de citron

6 cl de jus d'orange

2 cl de sirop de banane

Tranche d'ananas

Cerise confite

Versez le rhum, les jus de fruits et le sirop dans le shaker avec des glaçons. Frappez et passez dans un maxi-verre à long drink rempli de glaçons. Déco-rez avec les fruits.

CUBA LIBRE

4 cl de Rhum blanc

Coca-Cola

1 cl de jus de citron

Rondelle de citron

Mettez des glaçons dans un verre à long drink. Ver-sez le rhum et le jus de ci-tron. Ajoutez du Coca-Co-la et décorez avec la ron-delle de citron.

RAUHREIF

Jus de citron

Sucre en poudre

2 cl de Rhum ambré

2 cl de Gin

1 cl de jus de citron

1 cl de Triple Sec

1 cuillère à bar de grenadine

Trempez le bord d'une coupe à cocktail dans le jus de citron puis dans du su-cre. Dans le shaker, versez le rhum, le gin, le jus de fruit, la liqueur, la grenadi-ne et les glaçons. Passez dans la coupe à cocktail.

MERVEILLES TROPICALES

4 cl de Rhum blanc

4 cl de jus de fruit de la passion

4 cl de jus d'orange

4 cl de jus d'ananas

Mélisse de citron

Rondelle d'orange

Tranche d'ananas

Rondelle de citron vert

Versez le rhum et les jus de fruits dans le shaker avec des glaçons. Frappez et passez dans un verre à long drink. Disposez dans le verre la mélisse de ci-tron , les rondelles et la tranche de fruits.

BANANA BOAT SHAKE

4 cl de Rhum ambré
2 cl de liqueur de banane
4 cl de jus de fruit de la passion
2 cl de jus de citron vert
Rondelles de banane
Cerise confite

Versez le rhum, la liqueur et les jus de fruits dans le shaker avec des glaçons. Frappez et passez dans un verre à long drink à moitié rempli de glace pilée. Décorez avec les fruits.

YELLOW BIRD

3 cl de Rhum ambré
2 cl de Rhum blanc
1 cl de Tia Maria
4 cl de jus d'orange
2 cl de jus de citron
2 cl de jus de citron vert
Cerise confite
Feuille de menthe

Versez le rhum, la liqueur et les jus de fruits dans le shaker avec des glaçons. Frappez fort et passez dans un maxi-verre à long drink à moitié rempli de glace. Décorez avec la cerise et la feuille de menthe.

BOSSA NOVA

2 cl de Rhum ambré
2 cl de Galliano
1 cl d'Apricot Brandy
6 cl de jus d'ananas
Tranche d'ananas

Versez le rhum, le Galliano, l'Apricot Brandy et le jus de fruit dans le shaker avec des glaçons. Frappez et versez dans un verre à long drink à moitié rempli de glace pilée. Décorez avec l'ananas.

ACAPULCO

1 cl de Curaçao bleu
4 cl de Rhum blanc
2 cl de jus de citron
2 cl de jus de citron vert
Cerise confite
Rondelle de citron vert

Versez le rhum, la liqueur et les jus de fruits dans le shaker avec des glaçons. Frappez et passez dans un verre à long drink à moitié rempli de glace pilée. Décorez avec les fruits.

GOLDEN COLADA

3 cl de Rhum ambré
2 cl de Rhum blanc
1 cl de Galliano
2 cl de crème de noix de coco
2 cl de jus d'orange
2 cl de jus d'ananas
1 cl de crème fraîche
Tranche d'ananas
Cerise confite

Mélangez le rhum, le Galliano, la crème de noix de coco et les jus de fruits dans le shaker avec des glaçons. Frappez et passez dans un verre à long drink à moitié rempli de glace pilée. Décorez avec les fruits.

DAIQUIRI I

6 cl de Rhum blanc
2 cl de jus de citron
2 cl de sirop de sucre
Rondelle de citron

Mettez le rhum, le jus de fruit et le sirop de sucre dans le shaker avec des glaçons. Frappez et passez dans une coupe à cocktail préalablement refroidie. Décorez avec la rondelle de citron.

DAIQUIRI II

5 cl de Rhum blanc
3 cl de jus de citron
2 cl de sirop de sucre

Versez tous les ingrédients dans le shaker avec des glaçons. Frappez fort et passez dans une coupe à cocktail préalablement refroidie.

Jennings Cox, un ingénieur des Mines Américain qui travaillait près de la ville Cubaine de Daiquiri attendait d'importants invités, un jour de 1896. En pensant aux boissons, il dut constater qu'il ne lui restait plus de gin, sa boisson préférée; ne voulant pas offrir pur du rhum Cubain, jusqu'a-lors considéré comme quelconque, il alla se promener dans le jardin où il aperçut deux citrons. Il les ramassa et en mélangea le jus avec du sucre, du rhum et des glaçons. Il eut beaucoup de succès avec sa boisson

EL PRESIDENTE

2 cl de Rhum blanc
1 cl de Triple Sec
2 cl de Vermouth sec
1 cl de Vermouth rouge
1 trait de grenadine

Mélangez bien le rhum, la liqueur, le Vermouth et la grenadine dans le verre à mélange avec des glaçons. Passez dans une coupe à cocktail préalablement refroidie.

RHUM SWIZZLE

6 cl de Rhum blanc
2 cl de jus de citron vert
1 cuillère à thé
de sucre en poudre
2 traits d'Angostura
Rondelle de citron vert

Versez le rhum, le jus de fruit, le sucre en poudre et l'angostura dans le shaker avec des glaçons. Frappez et passez dans un verre à vin. Décorez avec le citron vert.

BETWEEN THE SHEETS

2 cl de Rhum blanc
2 cl de Cognac
1 cl de Triple Sec
1 cl de jus de citron
Rondelle de citron vert

Versez tous les ingrédients dans le shaker avec des glaçons. Frappez et passez dans une coupe à cocktail préalablement refroidie. Décorez avec la rondelle de citron vert.

PINA COLADA

5 cl de Rhum blanc
5 cl de crème
de noix de coco
5 cl de jus d'ananas
Tranche d'ananas

Versez le rhum, la crème de noix de coco et le jus de fruit dans le shaker avec des glaçons. Frappez et passez dans un maxi-verre à long drink à moitié rempli de glace pilée. Décorez avec la tranche d'ananas.

SHANGAI COCKTAIL

4 cl de Rhum ambré
1 cl de Pernod
3 cl de jus de citron
1 cl de grenadine

Versez tous les ingrédients dans le shaker avec des glaçons. Frappez fort et passez dans une coupe à cocktail.

Euphorie

Rhum Swizzle

El Presidente

Pina Colada

Ouragan

Shangai Cocktail

Between the Sheets

Daiquiri I

Daiquiri II

Zombie

ZOMBIE

4 cl de Rhum ambré

1 cl de Kirsch

2 cl de grenadine

2 cl de jus d'orange

Rondelle d'orange

Cerise confite

Mélangez le rhum, le kirsch, la grenadine et le jus d'orange dans le shaker avec des glaçons. Passez dans un maxi-verre à long drink à moitié rempli de glace pilée. Décorez avec les fruits.

OURAGAN

4 cl de Rhum ambré

2 cl de Kirsch

1 cl de sirop de fruit de la passion

2 cl de grenadine

2 cl de jus d'orange

Rondelle d'orange

Cerise confite

Versez le rhum, le sirop et les jus de fruits dans le shaker avec des glaçons. Frappez fort et passez dans un maxi-verre à long drink à moitié rempli de glace pilée. Décorez avec les fruits.

EUPHORIE

5 cl de Rhum blanc

1 cl de Triple Sec

2 cl de jus de pamplemousse

1 cl de jus d'ananas

Versez tous les ingrédients dans le shaker avec des glaçons. Passez dans une coupe à cocktail.

TEQUILA SOUR

5 cl de Tequila

3 cl de jus de citron

2 cl de sirop de sucre

Cerise confite

Versez la tequila, le jus de citron et le sirop de sucre dans le shaker avec des glaçons. Frappez et passez dans un sour. Décorez avec la cerise.

TEQUILA GIMLET

3 cl de Tequila

2 cl de jus de citron

2 cl de jus de citron vert

1 trait de sirop de citron vert

Versez tous les ingrédients dans le shaker avec des glaçons. Frappez et passez dans une coupe à cocktail préalablement refroidie.

Margarita

Tequila Sour

Tequila Gimlet

MARGARITA

Rondelle de citron

Sel

4 cl de Tequila

2 cl de Cointreau

2 cl de jus de citron

Enfoncez la rondelle de citron d'environ 2 cm. Humectez le bord d'une coupe à cocktail de citron puis passez-le sur une soucoupe pleine de sel; tapotez pour enlever le sel en trop. Versez tous les autres ingrédients dans le shaker avec de la glace. Frappez et passez dans une coupe à cocktail.

BRAVE BALL

3 cl de Tequila

3 cl de Kahlua

Mélangez les ingrédients dans le verre à mélange avec des glaçons. Passez dans un verre à xérès préalablement refroidi.

KNOCK OUT

5 cl de Tequila

1 cl de Galliano

2 cl de jus de citron

1 cl de jus d'orange

Versez tous les ingrédients dans le shaker avec des glaçons. Frappez et passez dans une coupe à cocktail [prélablement] refroidie.

[...]r connu pour sa [...] sa capacité d'ab- [...] d'alcool affirmait [...] que rien ne pouvait [...] Ceci incita un [...] à prépa- [...] qui avait une [...]ll- [...]ut [...] un

Ridley

Knock Out

RIDLEY

3 cl de Tequila

3 cl de Gin

1 trait de Galliano

Dans un tumbler à moitié rempli de glace pilée, versez la tequila, le gin et le Galliano et mélangez doucement.

TEQUILA MARIE

5 cl de Tequila

10 cl de jus de tomate

1 cl de jus de citron

Sel de céleri

Tabasco

Sauce Worcester

[...]la tequila, les jus de [...]et de citron dans le [...]ssaisonnez à vo- [...]z avec des glaçons [...]z dans un ver- [...]k.

TEQUILA SUNRISE

6 cl de Tequila

2 cl de grenadine

1 trait de jus de citron

10 cl de jus d'orange

Dans un maxi-verre à long drink à moitié rempli de glace pilée, versez la tequila, la grenadine et du citron. Ajoutez lentement le jus d'orange et mélangez doucement.

Tequila Marie

CARABINIERI

3 cl de Tequila

2 cl de Galliano

2 cl de jus de citron vert

8 cl de jus d'orange

1 jaune d'oeuf

Versez tous les ingrédients dans le shaker avec des glaçons. Frappez fort et passez dans un verre à moitié rempli de glace pilée.

Tequila Sunrise

Carabinieri

El Diabolo

Brave Ball

Jalapa

JALAPA

3 cl de Tequila

3 cl de jus de citron vert

3 cl de jus de fruit de la passion

Versez tous les ingrédients dans le shaker avec des glaçons. Frappez et passez dans une coupe préalablement refroidie.

EL DIABOLO

4 cl de Tequila

2 cl de crème de cassis

1 cl de jus de citron vert

Ginger ale

Rondelle de citron vert

Remplissez un maxi-verre à long drink de glaçons. Ajoutez la tequila, la crème de cassis, le jus de fruit et le ginger ale. Mélangez doucement et décorez avec la rondelle de citron vert.

83

Colonel Collins

Eté Indien

Rickey

Old Fashioned II

Wild Irish Rose

OLD FASHIONED II

1 morceau de sucre

1 trait d'Angostura

Rondelle d'orange

Rondelle de citron

Cerise confite

5 cl de Bourbon

Eau gazeuse

Mettez un morceau de sucre dans un tumbler; versez goutte à goutte l'angostura et écrasez le sucre. Ajoutez les fruits, le whiskey et des glaçons. Mélangez et versez de l'eau gazeuse.

COLONEL COLLINS

6 cl de Bourbon

3 cl de jus de citron

2 cl de sirop de sucre

Eau gazeuse

Rondelle de citron

Cerise confite

Versez le whiskey, le jus de citron et le sirop de sucre dans le shaker avec des glaçons. Frappez et passez dans un verre à long drink rempli de glaçons. Ajoutez de l'eau gazeuse et décorez avec les fruits.

RICKEY

4 cl de Scotch Whisky

1 cl de jus de citron

1 cl de jus de citron vert

Eau gazeuse

Rondelle de citron vert

Rondelle de citron

Versez le whisky, les jus de citron vert et de citron dans le shaker avec de la glace. Frappez et passez dans un verre à long drink. Ajoutez de l'eau gazeuse et décorez avec les fruits.

ETE INDIEN

3 cl de Whiskey Canadien
1 cl de crème
de menthe verte
Eau gazeuse

Versez le whiskey et la
menthe dans un tumbler.
Agitez brièvement; ajou-
tez des glaçons et de l'eau
gazeuse.

WILD IRISH ROSE

4 cl de Whisky Irlandais
1 cl de jus de citron
1 cl de grenadine
Eau gazeuse
1 rondelle d'orange

Versez le whisky, le jus de
citron et la grenadine
dans le shaker avec des
glaçons. Frappez et passez
dans un tumbler rempli de
glaçons. Ajoutez de l'eau
gazeuse et décorez avec
la rondelle d'orange.

85

Football Player

Whiskey Twist

Sangria Whiskey

Ritz Old Fashioned

Independance

Morning Glory

Ohio Old Fashioned

Brown Fox

Bourbonnaise

OHIO OLD FASHIONED

5 cl de Bourbon

1 trait d'Angostura

Mettez deux glaçons dans un tumbler ; ajoutez le whiskey et l'angostura.

BROWN FOX

4 cl de Bourbon

2 cl de Bénédictine

Mélangez les ingrédients dans un tumbler avec des glaçons.

BOURBONNAISE

4 cl de Bourbon

1 cl de Vermouth sec

1 cl de crème de cassis

1 cl de jus de citron

Versez tous les ingrédients dans un shaker avec des glaçons. Frappez et passez dans un tumbler rempli de glaçons.

SANGRIA WHISKEY

4 cl de Bourbon

1 cl de Cherry Brandy

1 cl de miel

Noix de muscade

Remplissez le shaker à moitié de glace. Versez le whiskey, le cherry brandy et le miel. Frappez et passez dans une coupe à cocktail. Ajoutez la noix de muscade.

WHISKEY TWIST

4 cl de Whiskey Irlandais

1 cl de jus de citron

1 cuillère à bar de Cherry Brandy

1 cuillère à bar de sirop de framboise

Cerise confite

Versez le whiskey, le jus de citron, le cherry brandy, le sirop de framboise et des glaçons dans le verre à mélange. Passez dans une coupe à cocktail et décorez avec la cerise confite.

LORD BYRON

3 cl de Scotch Whisky

1 cl de liqueur d'orange

1 cl de Rosso Antico

1 trait d'Angostura

Rondelle d'orange

Dans le verre à mélange, mélangez bien le whisky et la liqueur d'orange, le Rosso Antico et l'angostura avec des glaçons. Passez dans un tumbler et décorez avec la rondelle d'orange.

MORNING GLORY

6 cl de Bourbon

3 cl de jus de citron

1 cl de sirop de sucre

1 trait de Pastis

1 blanc d'oeuf

Versez les ingrédients dans le shaker avec de la glace. Frappez et passez dans un sour.

FOOTBALL PLAYER

3 cl de Scotch Whisky

1 cl de Cointreau

1 cl de jus de pamplemousse

Versez tous les ingrédients dans le shaker avec de la glace. Frappez et passez dans une coupe à cocktail.

INDEPENDANCE

3 cl de Bourbon

1 cl d'Apricot Brandy

1 cl de jus de citron

5 cl de jus d'orange

Rondelle d'orange

Rondelle de citron

Versez le whiskey, l'apricot brandy et les jus de fruits dans le shaker avec de la glace. Frappez et passez dans un tumbler. Décorez avec les fruits.

RITZ OLD FASHIONED

Rondelle de citron

Sucre

4 cl de Bourbon

2 cl de Grand Marnier

1 trait de jus de citron

1 trait de Marasquin

Cerise confite

Zeste d'orange

Humectez de citron le bord d'un tumbler préalablement refroidi et passez le verre sur une soucoupe pleine de sucre. Versez le whiskey, le Grand Marnier, le jus de citron et le marasquin dans le shaker avec des glaçons. Passez dans le verre et décorez avec la cerise confite et le zeste d'orange.

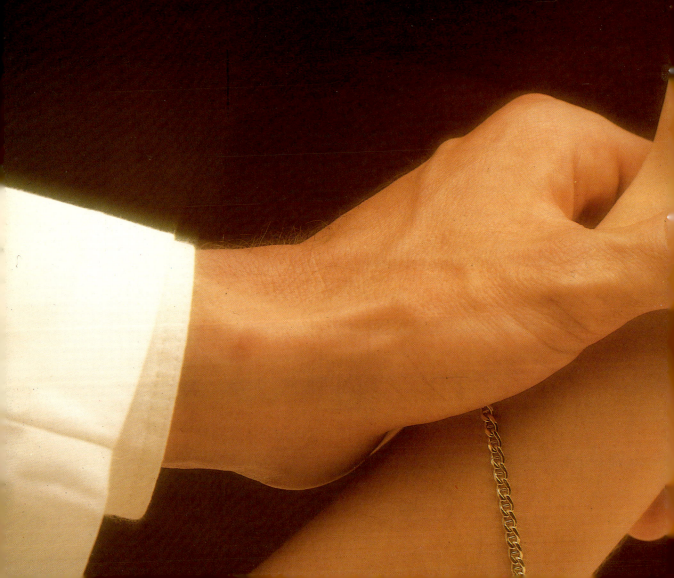

COCKTAIL N° 13

2 cl de Whiskey Allemand
2 cl de liqueur d'abricot
2 cl de jus d'orange
Cerise confite

Versez le whiskey, la li-
queur d'abricot et le jus
d'orange dans le shaker
avec de la glace. Frappez
et passez dans une coupe
à cocktail. Décorez avec la
cerise.

CE C...

Dan... ...ker, versez le
scotc... ...rambuie et le jus
de citron avec des glaçons ;
agitez énergiquement, puis
servez dans une coupe à
cocktail, en décorant avec
une cerise confite.

BARBICANE

3 cl de Scotch Whisky
1 cl de Drambuie
3 cl de nectar de maracuja
1 trait de jus de citron
1 cerise confite

Dans un shaker, mélangez
soigneusement le scotch, le
Drambuie, les jus et des glaçons ; servez dans une coupe à cocktail, en décorant
avec la cerise.

WARD EIGHT

5 cl de Bourbon
2 cl de jus d'orange
1 cl de jus de citron
1 cl de grenadine
1 trait d'Angostura

Mélangez tous les ingré-
dients dans le shaker, avec
des glaçons ; servez dans
une coupe à cocktail préalablement rafraîchie.

FRISCO SOUR

4 cl de Bourbon
2 cl de Bénédictine
3 cl de jus de citron

Mélangez tous les ingré-
dients dans le shaker, avec
des glaçons ; servez dans un
verre à sour.

BOURBON DREAM

3 cl de Bourbon
3 cl d'Apricot Brandy
Jus d'orange
1 rondelle d'orange
1 cerise confite

Dans un shaker, mélangez
soigneusement le whiskey,
l'eau-de-vie d'abricot et des
glaçons. Servez dans un verre à long drink, en complétant avec du jus d'orange et
en garnissant avec la rondelle d'orange et la cerise
confite.

HIGHLAND MOON

3 cl de Scotch Whisky
3 cl de Drambuie
1 rondelle de citron
1 cerise confite

Mélangez le whisky et le
Drambuie avec des gla-
çons ; servez dans un tumbler, en décorant avec les
fruits.

A une certaine époque, les
Highlands d'Ecosse étaient
enfouis sous une telle mas-
se de nuage que la lune de-
meurait invisible des mois
durant. Un soir, un Ecossais
que cette situation plon-
geait dans l'affliction la plus
profonde entreprit de mé-
langer son scotch avec du
Drambuie, la liqueur de
whisky écossaise. Après le
huitième verre, il assura qu'il
pouvait immanquablement
voir la lune se lever sur les
Highlands.

Barbica...

Bourbon Dream

...co
...r

Highland
Moon

Highland Cooler

Prince Charlie

Ward Eight

Hill Street

Softie

HILL STREET

4 cl de Bourbon	
1 cl de Rhum brun	
5 cl de jus de maracuja	
2 cl de jus d'ananas	
1 cerise confite	

Versez le whiskey, le rhum et les jus de fruits dans un shaker avec des glaçons; agitez, puis servez avec des glaçons dans un tumbler, en garnissant avec la cerise confite.

SOFTIE

4 cl de Scotch Whisky	
1 cl de Drambuie	
6 cl de jus d'orange	
1 rondelle d'orange	
1 cerise confite	

Versez le whisky, le Drambuie et le jus d'orange dans le shaker, avec des glaçons; agitez vigoureusement, puis servez avec des glaçons dans un tumbler, en garnissant avec les fruits.

HIGHLAND COOLER

4 cl de Scotch Whisky	
2 traits d'Angostura	
1 cl de jus de citron	
ginger ale	
1 rondelle de citron	
1 cerise confite	

Mélangez soigneusement le whisky, l'angostura et le jus de citron avec des glaçons; servez dans un verre à long drink, en complétant avec du ginger ale et en garnissant avec les fruits.

HONEYMOON

GREEN LOVE

2 cl de Cognac
2 cl de Curaçao bleu
2 cl de liqueur de mandarine
2 cl de jus de citron
1 rondelle de citron

Mélangez vigoureusement le cognac, le curaçao, le jus de citron et la liqueur de mandarine dans un shaker avec des glaçons; servez dans une coupe à cocktail préalablement refroidie, et garnissez avec le citron.

HONEYMOON

4 cl de Cognac
1 cl de Cointreau
1 cl de vin blanc
1 rondelle d'orange

Mélangez soigneusement le cognac, le Contreau et le vin blanc dans un shaker avec des glaçons; servez dans une coupe à cocktail préalablement refroidie, en garnissant avec la rondelle d'orange.

FRENCH CONNECTION

3 cl de Cognac
3 cl d'Amaretto

Mélangez le cognac et l'amaretto dans un tumbler, avec des glaçons.

Honeymoon

Quelle est la véritable origine du cocktail?
Pour les Américains, c'est à Betsy Flannagan que l'on doit la découverte du cocktail. Durant la guerre d'Indépendance, quelques officiers étaient cantonnés à Elmford, qui trompaient leur ennui en se réunissant le soir chez Betsy. Le voisin de celle-ci, un riche et égocentrique Anglais, n'avait qu'un intérêt au monde: son élevage de volaille. Piquée au vif par les taquineries de ses hôtes, Betsy résolut de plumer les fiers coqs de son voisin. Le lendemain soir, elle servit aux officiers une boisson multicolore, dont l'éclat n'avait d'égal que celui des chatoyantes plumes de coq qui la garnissait. L'un des admirateurs de Betsy, un jeune lieutenant français, leva son verre pour porter le toast suivant: "Vive le coq's tail!"

DAISY

2 cl de Cognac

3 cl de Gin

1 cl d'Apricot Brandy

1 rondelle de citron

Mélangez le cognac, le gin et l'eau-de-vie d'abricot avec des glaçons. Servez dans une coupe à cocktail, en garnissant d'une rondelle de citron.

AMERICAN SEA

2 cl de Cognac

2 cl de Vermouth dry

1 cl de crème
de menthe blanche

3 cl de jus d'orange

Mélangez tous les ingrédients dans un shaker, avec des glaçons; servez dans une coupe à cocktail préalablement rafraîchie.

AMERICAN BEAUTY

2 cl de Cognac

1 cl de Vermouth dry

1 cl de Vermouth rouge

0,5 cl de crème
de menthe blanche

2 cl de jus d'orange

porto

Versez le cognac, le vermouth, la crème de menthe et le jus d'orange et des glaçons dans le shakers; agitez. Servez dans un tumbler rempli de glaçons, puis faites couler lentement un peu de porto sur le dessus.

GREEN DRAGON

4 cl de Cognac

1 cl de crème
de menthe verte

Versez le cognac, la crème de menthe et des glaçons dans le shaker; agitez vigoureusement et servez dans une coupe à cocktail.

Daisy

Alba

Cognac Cassis

American Sea

Green Dragon

American Beauty

James

PICASSO

3 cl de Cognac

2 cl de Dubonnet

1 cl de jus de citron

4 gouttes de sirop de sucre

Versez tous les ingrédients avec des glaçons dans le shaker; secouez vigoureusement, puis servez dans une coupe à cocktail préalablement rafraîchie.

Un peintre, très mécontent du peu d'écho que rencontraient ses tableaux, avait pour habitude de passer ses soirées à concocter des boissons diverses et variées. Un soir, après quelques verres d'une mixture particulièrement savoureuse, il parvint enfin à surmonter son abattement. Le lendemain, il recevait la visite de ses amis ceux-ci furent agréablement surpris du résultat, et tous s'accordèrent à déclarer: "On dirait un Picasso!"

COGNAC CASSIS

3 cl de Cognac

3 cl de crème de cassis

Servez le cognac avec la crème de cassis dans une coupe à cocktail.

ALBA

4 cl de Cognac

2 cl de jus d'orange

1 cl de sirop de framboise

1 zeste d'orange

Versez le cognac, le jus d'orange, le sirop et des glaçons dans le shaker; servez dans une coupe à cocktail et garnissez avec le zeste d'orange.

JAMES

2 cl de Cognac

2 cl de Gin

2 cl de Chartreuse dorée

1 cerise confite

Mélangez le cognac, le gin et la chartreuse avec des glaçons; servez dans une coupe à cocktail et garnissez avec la cerise confite.

FAR WEST

2 cl de Cognac
2 cl de liqueur aux œufs
2 cl de Vermouth blanc
Cannelle

Versez la liqueur, le cognac, le vermouth et des glaçons dans le shaker; agitez énergiquement. Servez dans une coupe à cocktail, et saupoudrez d'une pincée de cannelle.

NEW ORLEANS SIDE CAR

2 cl de Cognac
2 cl de Rhum blanc
1 cl de Triple sec
2 cl de jus de citron
1 trait de Pastis
1 trait de grenadine

Versez tous les ingrédients avec des glaçons dans le shaker; secouez vigoureusement, et servez dans une coupe à cocktail préalablement refroidie.

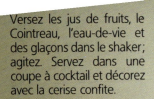

Versez les jus de fruits, le Cointreau, l'eau-de-vie et des glaçons dans le shaker; agitez. Servez dans une coupe à cocktail et décorez avec la cerise confite.

Rudis Special

YOUGOSLAVE

4 cl de Slivowitz	
3 cl de jus de citron	
3 cl de sirop de sucre	
1 prune fraîche ou confite	

Mélangez soigneusement tous les ingrédients avec beaucoup de glace; servez dans une coupe à cocktail et garnissez avec une prune.

SHERRY COBBLER

2 cl de Cognac	
1 cl d'eau-de-vie de framboises	
2 traits de grenadine	
1 tranche d'ananas	
quelques framboises	
3 cl de Sherry	

Remplissez à demi de glace pilée une grande coupe large. Ajoutez le cognac, l'eau-de-vie de framboises et la grenadine. Mélangez vivement. Décorez avec l'ananas coupé en dés et les framboises. Complétez avec le sherry.

PORTO COBBLER

1 cl de Curaçao bleu	
1 cl de Curaçao triple sec	
1 cl de grenadine	
Fruits de saison	
6 cl de porto	

Remplissez à demi de glace pilée une grande coupe large. Ajoutez le curaçao et la grenadine, décorez avec les fruits et complétez avec le porto.

CALVADOS COBBLER

3 cl de Calvados	
1 cl de jus de citron	
1 cl de sirop de sucre	
Fruits de saison	
6 cl de cidre	

Remplissez à demi de glace pilée une grande coupe large; ajoutez le calvados, le jus de citron et le sirop de sucre, garnissez de fruits et complétez avec le cidre.

COCONUT

3 cl de liqueur de banane verte	
3 cl de Malibu	
10 cl de jus d'ananas	
1 tranche d'ananas	

Dans le shaker, mélangez la liqueur de banane, le Malibu, le jus d'ananas et des glaçons. Versez dans un verre à long drink, ajoutez une cuiller à soupe de glace pilée et garnissez avec l'ananas.

NEWTON'S APPLE

4 cl de Calvados	
1 cl de Curaçao triple sec	
2 traits d'Angostura	

Mélangez tous les ingrédients avec des glaçons, et servez dans une coupe à cocktail.

AIR MAIL

4 cl de Vermouth rouge	
2 cl de Grappa	
2 traits d'Angostura	

Mélangez tous les ingrédients avec des glaçons dans le shaker, et servez dans une coupe à cocktail.

Newton's Apple

Porto Cobbler

Abricot Orange

Air Mail

Calvados Cobbler

A l'occasion d'une exposition de diamants et de brillants, on me demanda un jour de concevoir des cocktails. Il n'était guère aisé d'établir le lien entre une pierre précieuse et un cocktail. Je trouvai dans un livre des renseignements sur les plus célèbres pierres précieuses : leur nom, leur grosseur... Je choisis des verres à coktails hauts et fins, et je mélangeai des alcools aux couleurs délicates pour obtenir des variations de blanc, de bleu ciel, de jaune pâle et même de rouge rubis. Pour la décoration, j'utilisai du sucre candi concassé, qui représentait les pierres taillées, et du sucre cristal pour évoquer les diamants bruts.

Rudis Special

RUDIS RUBIN

2 cl de Campari

3 cl de Cointreau

Champagne ou mousseux

1/2 rondelle d'orange

1 cerise

Versez le Campari et le Cointreau dans une coupe à champagne, remplissez de champagne frappé et garnissez avec l'orange et la cerise sur une pique.

CHERRY BLOSSOM

2 cl de Cognac

2 cl de Cherry-brandy

1 cl de Cointreau

1 cl de grenadine

3 cl de jus de citron

Versez tous les ingrédients avec des glaçons dans le shaker ; agitez vigoureusement, et servez dans un verre à vin.

COCKTAIL FERRARI

4 cl de Vermouth dry

2 cl d'Amaretto

Zeste râpé d'1/2 citron

Mélangez tous les ingrédients avec des glaçons et servez dans une coupe à cocktail.

Rudis Rubin

Cherry Blossom

Cocktail Ferrari

GOODY TWO SHOES

3 cl d'Amaretto

3 cl de jus d'orange

3 cl de jus de citron

Mélangez soigneusement l'amaretto, les jus d'orange et de citron et des glaçons dans le shaker. Servez dans une coupe à cocktail garnie d'une rondelle de citron.

COCO DE MARTINIQUE

3 cl d'Armagnac

3 cl de Bénédictine

5 cl de crème de coco

Mélangez tous les ingrédients avec des glaçons dans le shaker, secouez vigoureusement, et servez dans un verre à long drink, avec de la glace pilée.

ORANGE-PAMPLEMOUSSE

5 cl de Grand Marnier

1 cl de grenadine

Jus de pamplemousse

1 cerise confite

Mélangez tous les ingrédients avec des glaçons dans le shaker et versez le tout dans un verre à long drink avec du jus de pamplemousse et garnissez d'une cerise confite.

KIRSCH CASSIS

3 cl de Kirsch

6 cl de jus de cassis

Eau gazeuse

Versez le kirsch et le jus de cassis et des glaçons dans le shaker, secouez vigoureusement, servez dans un verre à long drink préalablement rafraîchie, en disposant un morceau de zeste de citron sur le dessus.

BLUE KONTIKI

1 cl de Curaçao bleu

Sucre en poudre

3 cl de Kontiki

2 cl de jus de pamplemousse

Humectez le rebord d'une coupe à cocktail de curaçao puis passez-le dans le sucre; mélangez tous les ingrédients avec des glaçons dans le shaker; agitez énergiquement et servez dans la coupe.

GOLDEN COCONUT

2 cl de liqueur de banane

2 cl de crème de cacao blanche

2 cl de crème de coco

3 cl de crème fraîche

Versez tous les ingrédients et des glaçons dans le shaker, secouez vigoureusement et servez dans une coupe à cocktail.

APPLE SUNRISE

4 cl de Calvados

1 trait de jus de citron

2 cl de crème de cassis

8 cl de jus d'orange

Remplissez à demi un verre à long drink de glace pilée, versez le calvados, le jus de citron et la crème de cassis, ajoutez le jus d'orange et remuez lentement.

PARIS OPERA

3 cl de Curaçao bleu

2 cl de Rhum blanc

3 cl de jus de pamplemousse

Mélangez tous les ingrédients avec des glaçons dans le shaker; servez avec des glaçons dans un tumbler.

Orange - Pamplemousse

Goody Two Shoes

Golden Coconut

Blue Kontiki

Apple Sunrise

Coco de Martinique

Paris Opéra

Kirsch Cassis

103

TIME BOMB

2 cl d'Aquavit
2 cl de Vodka
2 cl de jus de citron
1 zeste de citron

Mélangez l'aquavit, la vodka, le jus de citron et des glaçons dans le shaker; agitez vigoureusement, puis servez dans une coupe à cocktail en garnissant avec le zeste de citron.

Le pousse-café est apparu en France dans les années vingt, à Paris selon toute vraisemblance.

Avant de pouvoir servir à vos hôtes un drink aussi artistique, il vous faudra vous exercer.

Prenez un verre haut et étroit, et versez la première couche - un sirop par exemple, dont vous aurez mesuré la quantité dans un doseur; vient ensuite une liqueur épaisse, que vous verserez lentement le long de la paroi du verre, à l'aide d'une cuiller à café. Procédez de même pour les couches suivantes. Pour les pousse-café présentés ci-après, les alcools seront indiqués dans l'ordre, mais la façon de procéder ne sera plus décrite.

Pousse-café 1

Pousse-café 4

Pousse-café 2

Pousse-café 3

POUSSE-CAFE 1

Curaçao bleu
Galliano

POUSSE-CAFE 2

Marasquin
Curaçao bleu
Grand Marnier

POUSSE-CAFE 3

Grenadine
Marasquin
Curaçao bleu

POUSSE-CAFE 4

Grenadine
Crème de menthe verte
Chartreuse dorée
Cherry-brandy

POUSSE-CAFE 5

Crème de menthe verte
Curaçao bleu
Chartreuse verte

POUSSE-CAFE 6

Grenadine
Crème de menthe verte
Curaçao bleu
Escorial vert

POUSSE-CAFE 7

Kahlùa
Grand Marnier
Crème fouettée

Pousse-café 5

Pousse-café 6

Pousse-café 7

LES DRINKS DU SOIR

Il est maintes façons agréables de conclure un bon repas. Rappelez-vous les vieux films britanniques : le gentleman achève son souper par un brandy et un bon cigare, tandis que Milady déguste une tasse de café.

Après le repas, nous vous conseillons de boire un vieux cognac ou un vieil armagnac - ce sont les meilleurs - ou bien un whisky. Ainsi qu'avait coutume de le dire un célèbre Anglais d'Hawaii : "Mon whisky, toujours sec, sans glace ni eau gazeuse. Je ne suis pas l'un de ces Américains !"

En conclusion d'un repas très plantureux, une liqueur aromatique constituera le meilleur digestif qui soit. Pour celui qui ne souhaite pas se gâter le palais par des alcools forts ou des liqueurs sirupeuses, il existe un grand choix de cocktails tels que le Golden Nail, le God Father, le God Mother, etc., qui contiennent à la fois un spiritueux et une liqueur.

GOD MOTHER

3 cl de Vodka
2 cl de liqueur d'amandes

Mélangez la vodka et la liqueur avec des glaçons dans un tumbler.

BACARDI COCKTAIL

4 cl de Rhum blanc
2 cl de jus de citron
2 cl de grenadine

Versez tous les ingrédients dans le shaker, agitez, puis servez dans un verre à cocktail.

Rudi's Special

SOPHIA

4 cl d'Amaretto Saronno
1 cl de crème
de menthe verte
3 cl de crème fraîche

Versez les ingrédients dans le shaker, agitez, puis servez dans un verre à cocktail ou à Old-fashioned, saupoudrez d'amandes pilées et grillées.

À l'occasion d'un concours de cocktails organisé en 1980 par Amaretto (il y avait 28 pays participants), j'ai remporté grâce à ce drink le premier prix pour l'Allemagne et le troisième prix pour le monde entier. L'Amaretto devait constituer la base de nos préparations.

Selon moi, le cocktail devait évoquer les amandes et l'Italie, et le nom devait frapper les imaginations. "Sophia! Sophia Loren!" Elle était italienne, avait les yeux en amande, et j'éprouvais pour elle une grande admiration.

God Mother

Bacardi Cocktail

Sophia

WHITE RUSSIAN

3 cl de Vodka
2 cl de Kahlùa
Crème fouettée

Mélangez la vodka et le Kahlùa avec des glaçons dans un tumbler à Old-fashioned, puis recouvrez d'une mince couche de crème fouettée.

RED RUSSIAN

3 cl de Vodka
2 cl de liqueur de cerises

Mélangez les ingrédients avec des glaçons dans un tumbler.

BLACK RUSSIAN

3 cl de Vodka
2 cl de Kahlùa

Mélangez les ingrédients avec des glaçons dans un tumbler.

RUSTY NAIL

3 cl de Vodka
2 cl de crème
de menthe verte

Mélangez les ingrédients avec des glaçons dans un tumbler.

GOLDEN NAIL

3 cl de Bourbon
2 cl de Southern Comfort

Mélangez les ingrédients avec des glaçons dans un tumbler.

VODKA STINGER

3 cl de Vodka
2 cl de crème
de menthe verte

Mélangez les ingrédients avec des glaçons dans un tumbler.

White Russian

Red Russian

Gimlet

Black Russian

Barett

Golden Nail

GOD FATHER

3 cl de Bourbon

2 cl d'Amaretto

2 amandes

Mélangez les ingrédients avec des glaçons dans un tumbler.

BARETT

4 cl de Bourbon

1 cl de Galliano

1 cl d'Amaretto

Mélangez les ingrédients avec des glaçons dans un tumbler.

STINGER

3 cl de Cognac

2 cl de crème
de menthe blanche

Mélangez les ingrédients avec des glaçons dans un tumbler.

APOTHEKE

3 cl de Fernet Branca

1 cl de Cognac

1 cl de crème
de menthe blanche

Mélangez tous les ingrédients avec de la glace pilée; servez dans un verre à cocktail.

GIMLET

4 cl de Gin

2 cl de jus de citron vert

1/4 de citron vert

Versez le gin et le jus de citron vert sur des glaçons dans un verre à Old-fashioned; pressez le citron vert et ajoutez le fruit dans le verre.

Apotheke

God Father

Stinger

Vodka
Stinger

Rusty Nail

111

GAME

3 cl de Gin

1 cl d'Apricot Brandy

1 cl d'Amaretto

Mélangez soigneusement les ingrédients avec des glaçons dans un tumbler.

B & C

Game

B & B

B & P

Russian Fruit

B & C

2 cl de Bénédictine

2 cl de Calvados

Dans un tumbler, mélangez soigneusement les ingrédients avec des glaçons.

B & B

2 cl de Cognac ou de Brandy

2 cl de Bénédictine

Dans un tumbler, mélangez soigneusement les ingrédients avec des glaçons.

B & P

2 cl de Cognac ou de Brandy

2 cl de Porto

Dans un tumbler, mélangez soigneusement les ingrédients avec des glaçons.

RUSSIAN FRUIT

4 cl de Vodka

2 cl de liqueur de framboises

Dans un tumbler, mélangez soigneusement les ingrédients avec des glaçons.

AFTERWARDS

3 cl de Curaçao bleu

3 cl Apricot Brandy

1 cl de jus de citron

1 rondelle de citron

Versez le curaçao, l'eau-de-vie, le jus de citron et des glaçons dans le shaker; secouez, puis servez dans une coupe à cocktail, en décorant avec la rondelle de citron.

PORTO RICO

4 cl de Porto

2 cl de Scotch

1 cl de jus de citron

1 rondelle d'orange

Versez le porto, le whisky, le jus de citron et des glaçons dans le shaker; secouez, puis servez dans une coupe à cocktail, en décorant avec la rondelle d'orange.

BABYFACE

2 cl de crème fraîche

2 cl de Vodka

2 cl de crème de cassis

Versez tous les ingrédients dans le shaker avec des glaçons; secouez vigoureusement et servez dans un verre à porto.

DIRTY WHITE MOTHER

2 cl de crème fraîche

2 cl de Cognac

2 cl de Kahlùa

Versez les ingrédients dans le shaker avec des glaçons; secouez vigoureusement et servez dans une coupe à cocktail.

HEAVEN SO SWEET

4 cl de Vodka

1 cl d'Amaretto

1 cl de Galliano

Versez les ingrédients dans le shaker avec des glaçons; agitez énergiquement et servez dans une coupe à cocktail.

ST. VINCENT

2 cl de crème fraîche

2 cl de Gin

2 cl de Galliano

3 gouttes de grenadine

Versez les ingrédients dans le shaker avec des glaçons; agitez et servez dans une coupe à cocktail.

CONCORDE II

3 cl de Gin

1 cl d'Apricot Brandy

1 cl de Campari

1 cl de grenadine

1 cerise confite

Dans le shaker, versez le gin, l'eau-de-vie, le campari, la grenadine et des glaçons; agitez et servez dans une coupe à cocktail, en décorant avec la cerise confite.

Afterwards

Porto Rico

Babyface

Dirty Face Mother

Heaven so sweet

Southern Island

St. Vincent

Concorde II

Strawberry Cream

Alexander's Sister Cocktail

ALEXANDER'S SISTER COCKTAIL

2 cl de crème fraîche
2 cl de Gin
2 cl de crème
de menthe blanche

Mélangez vigoureusement tous les ingrédients dans un shaker, avec des glaçons. Servez dans un verre à porto.

SOUTHERN ISLAND

2 cl de crème fraîche
2 cl de Rhum blanc
2 cl de Kahlùa
Grains de café

Mélangez vigoureusement la crème fraîche, le rhum, le Kahlùa et des glaçons dans le shaker; servez dans une coupe à cocktail, en garnissant avec trois grains de café.

STRAWBERRY CREAM

2 cl de crème fraîche
2 cl d'eau-de-vie de framboises
2 cl de liqueur de fraises
1 rondelle de kiwi
Quelques petites fraises

Versez la crème fraîche, l'eau-de vie et la liqueur avec des glaçons dans le shaker; agitez énergique-ment. Servez dans une cou-pe à cocktail, puis décorez le bord de la coupe d'une ron-delle de kiwi épluchée et à demi fendue. Ajoutez deux petites fraises entières, après les avoir soigneuse-ment lavées.

115

BLUE MOON

3 cl de Tequila

2 cl de Galliano

1 cl de Curaçao bleu

4 cl de crème fraîche

A l'aide du shaker, mélangez soigneusement tous les ingrédients avec des glaçons. Servez dans une coupe à cocktail.

Cherry Cream

Golden Dream

GOLDEN TORPEDO

2 cl de crème fraîche

2 cl de Galliano

2 cl d'Amaretto

A l'aide du shaker, mélangez soigneusement tous les ingrédients avec des glaçons. Servez dans une coupe à cocktail.

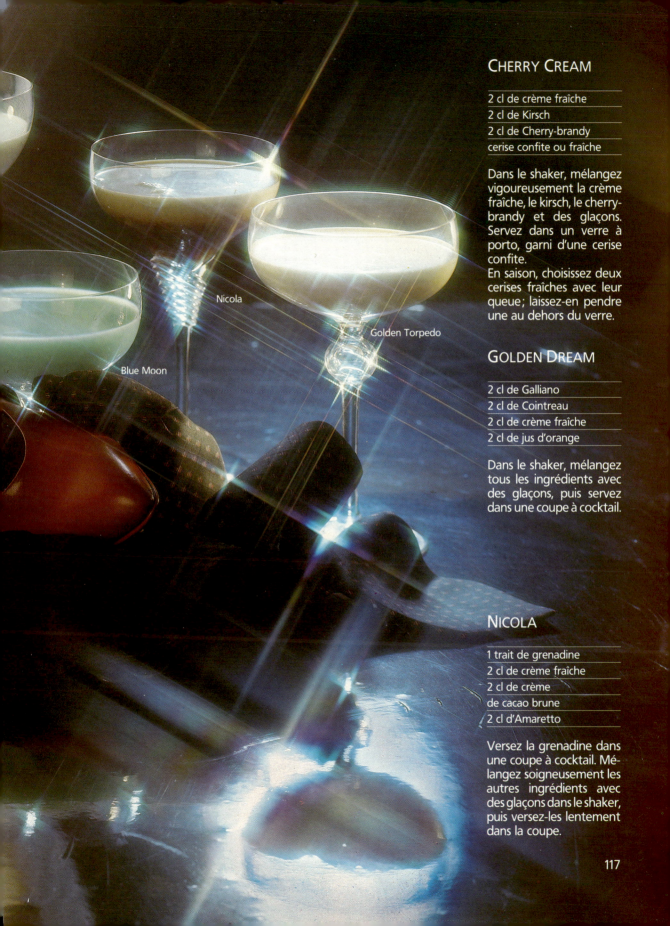

CHERRY CREAM

2 cl de crème fraîche
2 cl de Kirsch
2 cl de Cherry-brandy
cerise confite ou fraîche

Dans le shaker, mélangez vigoureusement la crème fraîche, le kirsch, le cherry-brandy et des glaçons. Servez dans un verre à porto, garni d'une cerise confite.
En saison, choisissez deux cerises fraîches avec leur queue; laissez-en pendre une au dehors du verre.

Nicola

Golden Torpedo

Blue Moon

GOLDEN DREAM

2 cl de Galliano
2 cl de Cointreau
2 cl de crème fraîche
2 cl de jus d'orange

Dans le shaker, mélangez tous les ingrédients avec des glaçons, puis servez dans une coupe à cocktail.

NICOLA

1 trait de grenadine
2 cl de crème fraîche
2 cl de crème
de cacao brune
2 cl d'Amaretto

Versez la grenadine dans une coupe à cocktail. Mélangez soigneusement les autres ingrédients avec des glaçons dans le shaker, puis versez-les lentement dans la coupe.

117

GOLDEN CADILLAC

2 cl de crème de cacao blanche
2 cl de Galliano
2 cl de crème fraîche
2 cl de jus d'orange

Dans le shaker, mélangez soigneusement tous les ingrédients avec des glaçons; servez dans une coupe à cocktail.

CACAO CREAM

4 cl de crème de cacao brune
4 cl de crème fraîche

Dans le shaker, mélangez soigneusement les ingrédients avec des glaçons; servez dans une coupe à cocktail.

COFFEE CREAM

4 cl de liqueur de café
4 cl de crème fraîche

Dans le shaker, mélangez soigneusement les ingrédients avec des glaçons; servez dans une coupe à cocktail.

BARBARA

2 cl de Vodka
2 cl de crème de cacao brune
2 cl de crème fraîche

Dans le shaker, mélangez soigneusement les ingrédients avec des glaçons; servez dans une coupe à cocktail.

FIFTH AVENUE

3 cl de crème de cacao blanche
2 cl d'Apricot Brandy
4 cl de crème fraîche

Dans le shaker, mélangez énergiquement les ingrédients avec des glaçons; servez dans une coupe à cocktail.

GRASSHOPPER

3 cl de crème de cacao blanche
1 cl de crème de menthe verte
4 cl de crème fraîche
1 brin de menthe fraîche (facultatif)

Dans le shaker, mélangez soigneusement les ingrédients avec des glaçons; servez dans un verre à sour, en décorant éventuellement avec un brin de menthe fraîche.

Barbara

Grasshopper

Coffee Cream

WHISKEY CREAM

2 cl de crème fraîche

2 cl de Southern Comfort

2 cl de crème
de cacao blanche

Dans le shaker, mélangez énergiquement les ingrédients avec des glaçons.

MUDDY RIVER

4 cl de Kahlùa

4 cl de crème fraîche

Versez les ingrédients avec des glaçons dans un tumbler; mélangez soigneusement. Vous pouvez saupoudrer ce cocktail de café en poudre.

COBRA

3 cl de Galliano

1 cl d'Amaretto

4 cl de crème fraîche

Dans le shaker, mélangez énergiquement les ingrédients avec des glaçons; servez dans une coupe à cocktail.

Cobra

Fifth
Avenue

Whiskey
Cream

Muddy River

Cacao Cream

Breakfast Egg Nogg

Baltimore Egg Nogg

Holiday Egg Nog

BREAKFAST EGG NOGG

3 cl de Cognac

3 cl de Curaçao bleu

6 cl de lait

1 œuf

1 cl de sirop de sucre

Dans le shaker, mélangez énergiquement les ingrédients avec des glaçons; servez dans un verre à long drink.

BALTIMORE EGG NOGG

2 cl de Cognac

2 cl de Rhum

2 cl de Madère

1 jaune d'œuf

12 cl de lait

Muscade

Dans le shaker, mélangez vigoùreusement le cognac, le rhum, le madère, le jaune d'œuf et des glaçons. Servez dans un joli verre à pied, en complétant avec le lait et en saupoudrant de noix de muscade râpée.

HOLIDAY EGG NOGG

4 cl de Bourbon

2 cl de Rhum

1 cl de sirop de sucre

4 cl de lait

1 œuf

Muscade

Dans le shaker, mélangez vigoureusement le whiskey, le rhum, le sirop de sucre, le lait, l'œuf et des glaçons. Servez dans un verre à long drink, en saupoudrant de noix de muscade râpée.

ORANGE FLIP

2 cl de Cognac
4 cl de Grand Marnier
1 cl de grenadine
1 jaune d'œuf

Dans le shaker, mélangez rapidement et vigoureusement les ingrédients avec des glaçons; servez dans une coupe à cocktail.

CAMPARI FLIP

4 cl de Campari
1 cl de Gin
4 cl de jus d'orange
1 jaune d'œuf

Dans le shaker, mélangez rapidement et vigoureusement les ingrédients avec des glaçons; servez dans une coupe à cocktail.

COGNAC FLIP

6 cl de Cognac
1 jaune d'œuf
2 cuillères à café de sucre

Dans le shaker, mélangez rapidement et vigoureusement les ingrédients avec des glaçons; servez dans une coupe à cocktail.

PORTO FLIP

3 cl de Cognac, 4 cl de Porto
1 jaune d'œuf,
1 cuillère à café de sucre

Dans le shaker, mélangez rapidement et vigoureusement les ingrédients avec des glaçons; servez dans une coupe à cocktail.

CURAÇAO FLIP

4 cl de Curaçao bleu
4 cl de jus d'orange
1 jaune d'œuf

Dans le shaker, mélangez rapidement et énergiquement le curaçao, le jus d'orange, le jaune d'œuf et des glaçons. Servez dans une coupe à cocktail.

Campari Flip

Porto Flip

Cognac Flip

Orange Flip

122

MARACUJA FLIP

5 cl de Rhum blanc
2 cl de sirop de Maracuja
(fruits de la passion)
1 jaune d'œuf

Dans le shaker, mélangez vivement le rhum, le sirop, le jaune d'œuf et des glaçons; servez dans une coupe à cocktail.

BOURBON FLIP

3 cl de Bourbon
1 cl de Rhum brun
3 cl de crème fraîche
1 cl de sirop de sucre
1 jaune d'œuf
Muscade

Dans le shaker, versez le whiskey, le rhum, la crème fraîche, le sirop de sucre, le jaune d'œuf et des glaçons; secouez énergiquement. Servez dans une coupe à cocktail, en saupoudrant d'un peu de muscade.

ROUGE FLIP

1 jaune d'œuf
8 cl de vin rouge
2 cuillères à café de sucre
Muscade

Dans le shaker, versez le jaune d'œuf, le vin rouge, le sucre et des glaçons; agitez rapidement et vigoureusement, puis servez dans une coupe à cocktail, en saupoudrant d'une pincée de muscade fraîchement râpée.

MOKA FLIP

5 cl de Kahlùa
1 cl de crème fraîche
1 jaune d'œuf
Muscade

Dans le shaker, mélangez vigoureusement le Kahlùa, la crème fraîche, le jaune d'œuf et des glaçons; servez dans une coupe à cocktail, saupoudré d'une pincée de muscade.

Curaçao Flip

Maracuja Flip

Bourbon Flip

Rouge Flip

Moka Flip

123

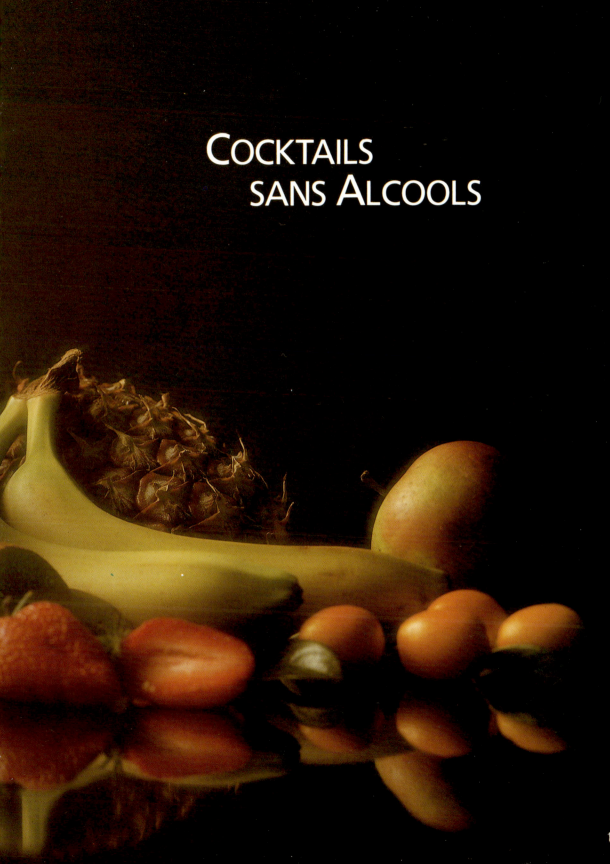

COCKTAILS
SANS ALCOOLS

Rudi's Special

VIRGIN MARY

20 cl de jus de tomate
Jus de citron
Sel
Poivre
Sauce Worcestershire
Tabasco
1 bâtonnet de céleri
ou de raifort

Mélangez le jus de tomate, le jus de citron et les sauces; salez et poivrez à votre goût. Servez avec des glaçons dans un tumbler, en décorant d'un bâtonnet de céleri ou de raifort.

TOMATO COCKTAIL

5 cl de jus de tomate
1 trait de jus de citron
1 trait de Tabasco
1 pincée de sel de céleri

Versez les ingrédients avec des glaçons dans le shaker; secouez énergiquement et servez dans un verre à vin.

POWER JUICE

10 cl de jus de betterave rouge
10 cl de jus de carotte
2 cl de jus de citron vert
Poivre
1 bâtonnet de cornichon

Mélangez les jus, poivrez selon votre goût; servez dans un tumbler avec des glaçons, en décorant avec le cornichon.

ECUME DOREE

8 cl de jus de carotte
4 cl de jus d'ananas
2 cl de jus de banane

Versez les ingrédients avec des glaçons dans le shaker; secouez, puis servez dans un verre à orangeade.

HOLLANDAIS

4 cl de jus de carotte
4 cl de jus de choucroute
1 pincée de curry

Versez les ingrédients avec des glaçons dans le shaker; secouez énergiquement, puis servez dans une coupe à cocktail préalablement refroidie.

BAVARIAN TOMATO

10 cl de jus de tomate
10 cl de jus de choucroute
1 cuillère à café de cumin

Versez les ingrédients avec des glaçons dans le shaker; secouez énergiquement, puis servez sans filtrer dans un verre à orangeade.

PRAIRIE OYSTER

Huile d'olive
2 c. à soupe de ketchup
1 jaune d'œuf
1 trait de jus de citron
Sauce Worcestershire
Sel
Poivre
Tabasco

Enduisez d'huile d'olive une petite coupe à cocktail; versez le ketchup et déposez le jaune d'œuf sur le dessus. Assaisonnez selon votre goût, puis servez avec un verre d'eau.

Tomato Cocktail

Hollandais

Écume Dorée

Bavarian Tomato

Carlotta

Prairie Oyster

CARLOTTA

4 cl de jus de céleri

4 cl de jus de carotte

4 cl de jus de pomme

1 trait de jus de citron

1 c. à café de persil haché

Mélangez les ingrédients très froids (sans glaçons toutefois) et servez dans un verre préalablement refroidi.

White City

3 cl de crème de coco
5 cl de crème fraîche
1 cl de jus de citron
8 cl de jus d'ananas
1 c à soupe de crème fouettée

Dans le shaker, mélangez vigoureusement la crème de coco, la crème fraîche, les jus de fruits et les glaçons; servez dans un verre à orangeade, en décorant avec la crème fouettée.

Double Rainbow

12 cl de jus d'orange
2 cl de jus de citron
1 cl de grenadine
Eau gazeuse
1 rondelle d'orange
1 rondelle de citron

Mélangez les jus de fruits, la grenadine et des glaçons dans un verre à orangeade, complétez avec de l'eau gazeuse et décorez avec les rondelles d'orange et de citron.

Cherry Ale

2 cl de jus de cerises
6 cl de ginger ale
1 trait de jus de citron vert
1 cerise confite

Mélangez le jus de cerises, le ginger ale et le jus de citron vert avec des glaçons; servez dans une coupe à cocktail préalablement refroidie, en décorant avec la cerise confite.

Sanddorn Flip

2 cl de sirop d'argouses
20 cl de lait
1 jaune d'œuf

Versez tous les ingrédients dans le shaker avec des glaçons; secouez énergiquement, puis servez dans un grand verre à orangeade.

Bananas

2 cl de crème de coco
2 cl de sirop de banane
3 cl de crème fraîche
8 cl de lait

Versez tous les ingrédients dans le shaker avec des glaçons; secouez énergiquement, puis servez dans une coupe à champagne.

Menthe a l'Eau

4 cl de sirop
de menthe poivrée
1 petite bouteille d'eau
minérale
1 brin de menthe fraîche

Versez le sirop et l'eau minérale sur beaucoup de glace dans un grand verre; servez avec une paille et décorez si vous le souhaitez avec un brin de menthe.

Simply Red

Menthe à l'eau

White City

Double Rainbow

Bananas

128

Sanddorn Flip

Wolfgangs Special

Orange Fresh

Cherry ale

ORANGE FRESH

6 cl de jus d'orange

2 cl de jus de citron

2 cl de jus d'ananas

4 cl de ginger ale

Eau gazeuse

1 tranche d'ananas

1 rondelle d'orange

Mélangez soigneusement les jus de fruits avec des glaçons dans un verre à orangeade, complétez avec de l'eau gazeuse et du ginger ale, mélangez rapidement et décorez avec les fruits.

WOLFGANGS SPECIAL

10 cl de jus d'orange

4 cl de jus de banane

4 cl de jus d'abricot

4 cl de jus de maracuja (fruits de la passion)

2 cl de jus de citron

1 cl de grenadine

Eau gazeuse

Quelques rondelles de banane

1 cerise confite

Dans un grand verre à orangeade, mélangez les jus de fruits et le sirop avec des glaçons; complétez avec de l'eau gazeuse et garnissez avec les fruits.

SIMPLY RED

2 cl de crème de coco

2 cl de jus de citron

2 cl de grenadine

12 cl de jus d'ananas

Versez tous les ingrédients avec des glaçons dans le shaker; secouez énergiquement, puis servez dans un verre à orangeade.

129

PLANTER'S WONDER

6 cl de jus d'orange

6 cl de jus d'ananas

6 cl de jus de fruits
de la passion

2 cl de jus de citron

2 cl de grenadine

Fruits frais de saison

Versez les jus de fruits et la grenadine dans le shaker avec des glaçons; secouez énergiquement, puis servez dans un grand verre à orangeade en ajoutant de la glace pilée et en garnissant avec les fruits.

MIAMI

14 cl de jus d'ananas

1 cl de jus de citron

1 cl de sirop de sucre

1 cl de sirop
de menthe poivrée

Mélangez tous les ingrédients avec des glaçons dans le shaker; servez dans un verre à orangeade.

Planter's Wonder

Miami

Tropical

TROPICAL

5 cl de jus d'orange

5 cl de jus de mangue

5 cl de jus d'ananas

1 cl de jus de citron

1 cl de grenadine

Mélangez tous les ingré-
dients avec des glaçons;
servez dans un verre à orangeade.

MANDARINE CREAM

4 cl de sirop de mandarine

6 cl de jus d'orange

4 cl de crème fraîche

1 jaune d'œuf

1 trait de grenadine

1/2 rondelle d'orange

1 cerise confite

Versez le sirop, le jus d'orange, le jus d'œuf, la grenadine et des glaçons dans le shaker; secouez vigoureusement. Servez avec des glaçons dans un verre à bière, en décorant avec la 1/2 rondelle d'orange et la cerise.

SPORT'S FLIP I

6 cl de jus d'orange

3 cl de jus de citron

3 cl de jus de fruits de la passion

1 cl de sirop de banane

1 cl de grenadine

1 jaune d'œuf

Mélangez soigneusement tous les ingrédients avec des glaçons dans le shaker; servez dans un verre à orangeade.

PUSSY FOOT

5 cl de jus d'orange

3 cl de jus de citron

3 cl de jus d'ananas

1 cl de grenadine

1 rondelle d'orange

Versez les jus de fruits, la grenadine et des glaçons dans le shaker; servez avec des glaçons dans un verre à orangeade, en décorant avec l'orange.

L'ARBRE DU CIEL

4 cl de sirop de coco

6 cl de jus d'ananas

2 cl de jus de citron

1/4 de cuillère à café de noix de coco râpée

1/4 de rondelle d'ananas

Passez au mixer le sirop, les jus de fruits, la noix de coco râpée et beaucoup de glace. Servez dans un verre à bière et décorez avec l'ananas.

GREEN DREAMS

6 cl de jus d'orange

6 cl de jus d'ananas

5 cl de jus de fruits de la passion

2 cl de sirop de menthe poivrée

1 rondelle d'ananas

Mélangez dans le shaker les jus de fruits, le sirop et des glaçons; servez dans un verre à orangeade, en garnissant avec l'ananas.

PRIMADONNA

4 cl de jus d'orange

4 cl de jus de pamplemousse

4 cl de jus de fruits de la passion

1 cl de jus de citron

2 cl de grenadine

1 rondelle d'orange

1 rondelle de citron

Mélangez dans le shaker les jus de fruits, la grenadine et des glaçons. Servez dans un verre à orangeade, en garnissant avec les fruits.

L'Arbre du Ciel

Mandarine

Sp

132

Green Dreams

Sanguine

Breakfastdrink

Orange Shake

Abricot Mix

Pussy Foot

ORANGE SHAKE

8 cl de jus d'orange

1 cl de sirop de cerises

10 cl de lait

1 cuillère à soupe de glace à la vanille

1 cuillère à soupe de copeaux de chocolat

1 cuillère à soupe de zeste d'orange râpé

Mélangez soigneusement le jus d'orange, le sirop, le lait et la glace dans le shaker. Servez dans une grande coupe à champagne, en parsemant de copeaux de chocolat et de zeste d'orange.

BREAKFAST DRINK

6 cl de jus d'orange

1 cl de grenadine

1 c. à café de blanc d'œuf

Mélangez soigneusement les ingrédients avec des glaçons dans le shaker; servez dans une coupe à cocktail.

ABRICOT MIX

10 cl de jus d'orange

10 cl de jus d'abricot

4 cl de jus de citron

1 rondelle d'orange

Mélangez tous les ingrédients avec des glaçons dans un grand verre à orangeade, et servez garni avec l'orange.

SANGUINE

16 cl de jus d'orange

1 cl de jus de citron

1 cl de grenadine

Mélangez les ingrédients avec des glaçons dans un verre à orangeade.

133

JAMAICA

3 cl de sirop de fruits
de la passion

2 cl de jus de citron

6 cl de jus d'orange

6 cl de jus d'ananas

1/2 rondelle d'orange

1 cerise confite

A l'aide du shaker, mélangez soigneusement le sirop, les jus de fruits et des glaçons; versez avec des glaçons dans un verre à bière. Décorez avec l'orange et la cerise sur une pique "cocktail".

EXOTIC ORANGE

10 cl de jus d'orange

10 cl de jus de fruits
de la passion

1 trait d'angostura

1 rondelle d'orange

Mélangez les jus de fruits, l'angostura et des glaçons dans un verre à orangeade; décorez avec l'orange.

COCO

2 cl de crème de coco

4 cl de jus d'ananas

4 cl de crème fraîche

Mélangez soigneusement les ingrédients avec des glaçons dans le shaker. Servez dans un verre à orangeade rempli à moitié de glace pilée.

SWEET LIME

2 cl de crème de coco

2 cl de jus de limette

1 cl de grenadine

8 cl de jus d'ananas

Mélangez soigneusement les ingrédients avec des glaçons dans le shaker. Servez dans un verre à orangeade rempli à moitié de glace pilée.

Sweet Lime

Jamaica

Coco

Exotic Orange

FLORIDA COCKTAIL

6 cl de jus d'ananas
3 cl de jus de citron
1 cl de grenadine
1 trait d'angostura

Mélangez soigneusement les ingrédients avec des glaçons dans le shaker; servez dans une coupe à cocktail.

ANA...

6 c...
2 c...
1...

Mé... les jus... sucre et... shaker; ser... coupe à cockt... rant avec le brin d...

KENYA

2 cl de sirop d'ananas
1 cl de sirop de banane
4 cl de jus de citron
4 cl de jus... de la passion

Mélangez les ingrédients avec des glaçons dans le shaker; servez dans une coupe à champagne.

ANANAS-MENTHE

12 cl de jus d'ananas
6 cl de bitter lemon
2 gouttes d'extrait de menthe ou de sirop de menthe poivrée

Mélangez les ingrédients avec des glaçons dans un verre à orangeade.

...ACAS

4 cl de sirop d'ananas
2 cl de sirop de fruits de la passion
4 cl de jus d'orange
4 cl de jus de pamplemousse
2 cl de jus de citron

Mélangez soigneusement tous les ingrédients avec des glaçons dans le shaker; servez dans un verre à orangeade.

Florida Cocktail

Ananas Sou...

Sweety

...anas-Menthe

Kénya

136

SWEETY

4 cl de jus d'ananas
4 cl de jus d'orange
1 cl de grenadine

Mélangez les ingrédients avec des glaçons dans le shaker et servez dans une coupe à cocktail.

ARGENTINA

5 cl de jus d'ananas
5 cl de jus d'abricot
5 cl de jus de fruits de la passion
5 cl de jus de papaye
2 cl de jus de citron
2 cl de grenadine
1 tranche d'ananas
1 cerise confite

Dans un grand verre à orangeade, mélangez le jus de fruits, la grenadine et des glaçons; garnissez avec les fruits.

RED SKY

2 cl de crème fraîche
1 cl de grenadine
4 cl de jus d'ananas
1 cl de jus de citron vert

Mélangez soigneusement tous les ingrédients avec des glaçons dans le shaker; servez dans une coupe à cocktail.

QUICKLY WAIKIKI

14 cl de jus d'ananas
2 cl de jus de citron
2 c. à soupe de sucre brun
1 tranche d'ananas

Mélangez les jus de fruits, le sucre et des glaçons dans le shaker; servez dans un verre à orangeade en décorant avec l'ananas.

Argentina

cas

Red Sky

Quickly Waikiki

CAR DRIVE

4 cl de jus d'ananas

2 cl de jus de citron

1 cl de grenadine

Ginger ale

1 tranche d'ananas

Dans un verre à orangeade, mélangez les jus de fruits, la grenadine et des glaçons; complétez avec du giner ale, et décorez avec l'ananas.

SUMMERCOOLER

4 cl de jus d'orange

1 trait d'angostura

Soda au citron

Versez le jus d'orange, l'angostura et des glaçons dans un verre à orangeade, complétez avec du soda et remuez rapidement.

SUMMER DELIGHT

2 cl de jus de citron vert

2 cl de sirop de framboises

Eau gazeuse

4 framboises

2 rondelles de citron (vert)

Dans un verre à orangeade, mélangez le jus de fruit, le sirop et des glaçons; complétez avec de l'eau gazeuse et décorez avec les framboises et les rondelles de citron vert.

GOLDEN GINGER ALE

4 cl de jus d'orange

4 cl de jus d'ananas

Ginger ale

Dans un verre à orangeade, mélangez les jus de fruits et des glaçons; complétez avec du ginger ale.

Summercooler

Golden Ginger ale

Car Drive

Summer Delight

Martinique

2 cl de crème de coco

2 cl de sirop de framboises

8 cl de jus d'ananas

1 cl de jus de citron

4 cl de crème fraîche

Mélangez vigoureusement tous les ingrédients avec des glaçons dans le shaker; servez dans un verre à orangeade à demi rempli de glace pilée.

Queen of Strawberries

2 cl de crème de coco

6 cl de purée de fraises

6 cl de jus d'ananas

2 cl de crème fraîche

3 fraises avec la queue

Dans le shaker, mélangez vigoureusement la crème de coco, la purée de fraises, le jus d'ananas et des glaçons; servez dans un verre à orangeade, en décorant avec les fraises.

Myrtille Mix

8 cl de purée de myrtilles

2 cl de sirop de fraise

4 cl de crème fraîche

4 cl d'eau gazeuse

10 myrtilles

Mélangez la purée de myrtilles, le sirop de fraise, la crème fraîche et des glaçons; versez dans un verre à orangeade; ajoutez l'eau gazeuse, mélangez rapidement et décorez avec les myrtilles.

The Mandarin

2 cl de sirop de mandarine

2 cl de lait

5 cl de crème fraîche

Mélangez les ingrédients avec des glaçons dans le shaker; servez dans une coupe à cocktail.

Egg Nogg au Raisin

8 cl de jus de raisins noirs

8 cl de lait

1 cl de sirop de sucre

1 jaune d'œuf

Mélangez soigneusement tous les ingrédients avec des glaçons dans le shaker; servez dans un verre à orangeade. Le jus de raisins peut être remplacé par du jus de groseilles.

Exotic Lemon

1 kumquat coupé en rondelle

10 cl de jus de fruits de la passion

1 cl de jus de citron

Bitter lemon

Mélangez le fruit et les jus de fruits dans un grand verre à orangeade à demi rempli de glace pilée; complétez avec du bitter lemon.

Choco Mystery

2 cl de crème de coco

2 cl de sirop de chocolat

4 cl de crème fraîche

4 cl de lait

Versez tous les ingrédients avec de la glace dans le shaker; agitez vigoureusement, puis servez dans une coupe à champagne.

Tango II

3 cl de crème de coco

6 cl de jus d'ananas

6 cl de jus de citron

1 cl de sirop de mandarine

3 cl de crème fraîche

1 cerise confite

Dans un shaker, versez la crème de coco, les jus de fruits, le sirop, la crème fraîche et des glaçons; secouez énergiquement, puis servez dans un verre à orangeade en décorant avec la cerise.

Drink aux Fraises

100 g de purée de fraises

3 cl de sirop de sucre

1 cl de jus de citron

Eau gazeuse

1 rondelle de citron

Mélangez énergiquement dans le shaker les fraises, le sirop de sucre, le jus de citron et des glaçons; servez dans un verre à orangeade, en complétant avec de l'eau gazeuse.

Lait de Mures

50 g de purée de mûres

1 c. à café de sucre vanille

Lait

1 c. à soupe de crème fouetté

Versez la purée de mûres et le sucre dans un grand verre à orangeade; remplissez de lait, remuez bien et recouvrez de crème fraîche.

Ce cocktail lacté peut être préparé avec de nombreux fruits, par exemple avec 1 banane, 40 g de framboises, 40 g de myrtilles, 50 g de fraises ou bien 3 cl du sirop de fruits de votre choix.

Choco Mystery

Drink aux Fraises

Lait de Mûres

Exotic Lemon

Egg Nogg aux Raisins

Tango II

Martinique

Myrtille Mix

Queen of Strawberries

The Mandarin

Soleil du Soir

1 cl de grenadine
2 cl de sirop de banane
4 cl de crème fraîche

Mélangez énergiquement les ingrédients avec des glaçons dans le shaker; servez dans une coupe à cocktail.

Dream of Granada

20 cl de babeurre
2 cl de grenadine
1 cuillère à soupe de cacao

Versez les ingrédients avec des glaçons dans le shaker; agitez vigoureusement, puis servez dans un grand verre à orangeade.

COCKTAIL PARTY

VOUS ETES INVITE A NOTRE COCKTAIL PARTY

Les cocktails sont fort à la mode, car ils n'imposent guère de contraintes; en tant qu'hôte, vous n'avez pas besoin d'établir un plan de table, et la question des affinités se résoud d'elle-même. Un petit problème se pose toutefois lors d'un buffet : il nous manque une main. Il en faut une pour le verre, une autre pour la cigarette ou les canapés. Une troisième main serait bien utile pour pouvoir serrer la main des convives. Pour cette raison, il est nécessaire de disposer en quantité suffisante de chaises et petites tables, ainsi que des cendriers sur pied.

Lorsque vous donnez un cocktail, il vous faut effectuer quelques préparatifs, ce que les spécialistes nomment la mise en place. Tous les appareils, accessoires et ingrédients nécessaires doivent être préparés à portée de main. Faites en sorte que vos invités aient l'impression que vous les attendez et que vous êtes heureux de leur présence. N'oubliez pas que le bon déroulement d'une petite fête dépend tout autant que celui d'une grande soirée de la bonne préparation.

Dès le départ vous vous trouverez assailli de questions :

"Qu'y a-t-il en entrée ?" "Combien de personnes sont-elles attendues ?" "Est-ce que chacun doit préparer son propre verre," ou bien "Puis-je préparer quelques boissons à l'avance ?" Nous souhaitons vous indiquer la marche à suivre, afin que la soirée, la réception, se déroule dans les meilleures conditions possibles, que vous soyez des connaisseurs ou des profanes, que votre bar soit rudimentaire ou très bien équipé.

La règle d'or de la préparation des cocktails est celle-ci :

Le résultat final vaut ce que valent les ingrédients utilisés (cette phrase s'applique à toute bonne cuisine de gourmet, pour laquelle on emploie le français dans tous les pays du monde. En revanche, la langue du bar et des cocktails est l'anglais). Encore une fois, voici les règles les plus importantes pour réussir vos cocktails à coup sûr :

Les cocktails à base de jus de fruits sont secoués dans un gobelet ou mélangés dans un Hamilton Beach (= mixer).

Les cocktails sans jus de fruits sont préparés dans un verre à mélange.

Les cocktails à base de fruits ou d'œuf sont réduits dans une centrifugeuse avec de la glace et tous les autres ingrédients. Dans les pages qui suivent,

nous essayons d'apporter une réponse aux nombreuses questions qui peuvent se poser à vous lors de la préparation d'une cocktail party, en faisant appel à notre expérience du bar. Certains de vos invités peuvent avoir des goûts tout à fait exceptionnels. Si ce sont des amis, vous connaissez sans doute leurs péchés mignons : vous pourrez en tenir compte au moment de choisir les boissons et de régler les points de détail.

Combien y a-t-il d'invités ?
Cette question est très importante pour le barman, car si les convives sont peu nombreux, il pourra servir chacun individuellement. S'il y a vingt-cinq personnes, ce sera plus difficile. Il serait souhaitable dans ce cas d'effectuer quelques préparatifs. Les punches et les cocktails pouvant être préparés à l'avance conviennent particulièrement bien, car il suffit ensuite de les compléter au dernier moment avec du mousseux, de l'eau gazeuse ou de la bière.

Vos invités sont-ils des hommes ou bien des femmes ?
Si vous n'attendez que des hommes, les choses sont simples.
Mais si vous avez également invité des femmes, vous devrez proposer au moins deux types de cocktails, car pour la plupart elles préfèrent les drinks plus légers et un peu plus sucrés.

Quel est l'âge de vos invités ?

L'âge joue un grand rôle dans le choix des boissons. Les plus jeunes boivent volontiers dans des grands verres et préfèrent les drinks multicolores, avec beaucoup de glace, qui peuvent parfois être fortement alcoolisés. Les invités d'un certain âge préfèrent généralement les boissons moins bariolées, moins fortes et moins glacées.

Vos invités viennent-ils en voiture ?

Chez beaucoup de couple, vous entendrez malheureusement bien souvent la règle suivante : "Je bois, tu conduis !" Il n'y a rien là d'inéluctable, car il existe un grand nombre de drinks légers à base de sodas, de fruits et de jus de fruits.

nous proposons de petits fours chauds et des canapés garnis de crevettes, de saumon, d'anguille ou de truite fumée, de viande froide, de fromage ou de petites tranches de jambon cru.

Invitez-vous des connaisseurs ou des profanes ?

Les connaisseurs en matière de cocktails préfèrent souvent les drinks amers comprenant un minimum d'ingrédients. En revanche, les profanes aiment à goûter des saveurs nouvelles.

Quelle doit être la durée d'un cocktail ?

Une telle réception ne devrait pas se prolonger au-delà de deux heures. Il

regarder sans cesse autour d'elles pour voir si une chaise ne va pas se libérer, et la démarche de certains messieurs se fait déjà chancelante. Plus tard encore, quand la conversation se tarit et quand apparaissent les premiers baillements, vous devriez chuchoter à un ami de longue date : "Viens me voir dans quelques minutes et prend congé à haute et intelligible voix !" Cela ne l'empêche pas de revenir ensuite par la porte de derrière et d'aider à finir les bouteilles.

Nous souhaiterions vous indiquer quelques drinks convenant particulièrement à un cocktail.

Avec un petit nombre d'alcools, vous

Que devez-vous proposer dans votre cocktail ?

Les convives étant debout, il vaut mieux ne proposer que de petits aliments, qui peuvent se manger en une bouchée. Les boissons sucrées peuvent également être accompagnées de pâtisseries. Dans nos cocktails,

se peut toutefois que les boissons que vous avez préparées viennent à manquer, ou que les invités aient assez bu. La faim commence alors à se faire sentir, car l'alcool ouvre l'appétit et les petits fours, d'usage dans un cocktail, ne suffisent pas à rassasier les convives. Les femmes commencent à

pourrez déjà élaborer un bon nombre de long drinks : une bouteille de 70 cl permet d'en préparer quelque dix-sept. Les long drinks suivants doivent tous être servis dans des tumblers à demi remplis de glace.

147

GIN AND TONIC

4 cl de Gin
Tonic (Schweppes)
1 rondelle de citron vert

Versez le gin, remplissez de tonic, et décorez avec la rondelle de citron vert.

VODKA BITTER LEMON

4 cl de Vodka
Bitter lemon
1 rondelle de citron vert

Versez la vodka, complétez avec le bitter lemon, et décorez avec la rondelle de citron vert.

CUBA LIBRE

4 cl de Rhum
1 cl de jus de citron vert
Coca-Cola

Versez le rhum et le jus de citron vert; remplissez de Coca-Cola.

BOURBON HIGHBALL

4 cl de Bourbon
1 morceau de zeste de citron
Ginger ale

Pressez le zeste au-dessus du whiskey, ajoutez le zeste et complétez avec le ginger ale.

BOURBON-COKE HIGHBALL

4 cl de Bourbon
1 rondelle de citron
Coca-Cola

Versez le whiskey, déposez la rondelle de citron et complétez avec le Coca-Cola.

CAMPOR

4 cl de Campari
Jus d'orange

Complétez le Campari avec du jus d'orange.

CAMPARI AND TONIC

5 cl de Campari
Tonic ou bitter lemon

Complétez le Campari avec du tonic.

WILLIAMS BITTER LEMON

4 cl d'eau-de-vie de poire
Bitter lemon

Complétez l'eau-de-vie avec du bitter lemon.

WARD EIGHT

4 cl de Bourbon
2 cl de jus d'orange
2 cl de jus de citron
2 cl de grenadine
2 traits d'Angostura
1/2 rondelle de citron
1/2 rondelle d'orange
1 cerise confite

Dans le shaker, mélangez le whiskey, les jus de fruits, la grenadine, l'angostura et des glaçons. Servez dans un tumbler en décorant avec les fruits. Ce cocktail peut être préparé à l'avance. Ingrédients pour 35 drinks :

2 bouteilles de Bourbon
1 bouteille de jus d'orange
1 bouteille de jus de citron
1 bouteille de grenadine
1 cuillère à soupe d'Angostura

Conservez le mélange au froid. Lorsque les invités arrivent, versez 10 cl du mélange dans un tumbler, avec de la glace, et décorez avec des fruits.

MAGIE DES TROPIQUES

4 cl de Pisang Ambon
Jus de fruits de la passion
1 rondelle de banane
1 cerise confite

Versez le Pisang Ambon dans un tumbler à demi rempli de glace. Complétez avec du jus de fruits de la passion et décorez avec les fruits.

CAMELEON

4 cl de Curaçao bleu
Jus d'orange
1/2 rondelle d'orange
1 cerise confite

Versez le curaçao bleu et le jus d'orange ; décorez avec les fruits.

Les boissons qui suivent seront servies dans une **coupe à champagne.** Le champagne ou le mousseux ajoutés doivent toujours être glacés.

MOUSSEUX-ORANGE

4 cl de jus d'orange
Mousseux
1 rondelle d'orange

Complétez le jus d'orange avec du mousseux ; décorez avec la rondelle d'orange.

CHAMPAGNE COCKTAIL

2 traits d'Angostura
2 cl de Cognac
1 morceau de sucre
Champagne

Complétez l'angostura et le cognac avec du champagne ; ajoutez le morceau de sucre.

OHIO

2 cl de Curaçao triple sec
ou de Cointreau
2 cl de Cognac
2 traits d'Angostura
Champagne ou mousseux
1 cerise confite

Dans le shaker, mélangez le curaçao, le cognac, l'angostura et des glaçons ; versez dans une coupe à champagne, complétez avec du champagne et décorez avec une cerise confite. Ce cocktail peut également être préparé à l'avance.

Quantités pour 35 verres :

1 bouteille de Curaçao triple sec
ou de Cointreau
1 bouteille de Cognac
1 cuillère à soupe d'Angostura

Placez au réfrigérateur. Lorsque les invités arrivent, servez-leur 4 cl du mélange préparé à l'avance, ajoutez un glaçon, complétez avec du champagne et garnissez chaque verre d'une cerise confite.

RUDIS RUBIN

2 cl de Cointreau
2 cl de Campari
1/2 rondelle d'orange
1 cerise confite
Champagne ou mousseux

Mélangez le Cointreau et le Campari, complétez avec du champagne et décorez avec les fruits. Si vous préparez 35 verres de ce cocktail, mélangez :

1 bouteille de Cointreau et
1 bouteille de Campari

Placez au réfrigérateur. Lorsque les invités arrivent, servez-leur 4 cl du mélange préparé à l'avance avec un glaçon dans une coupe à champagne ; ajoutez le champagne et décorez avec des fruits.

KIR ROYAL

2 cl de crème de cassis
Champagne ou mousseux
4 grains de raisin

Versez la crème de cassis dans un verre, complétez avec du champagne et décorez avec les grains de raisin.

IBU

2 cl de Cognac
2 cl d'Apricot Brandy
2 cl de jus d'orange
Champagne ou mousseux

Dans le shaker, mélangez le cognac, l'apricot, le jus d'orange et des glaçons ; versez dans un verre et remplissez de champagne. Pour préparer 35 verres de ce cocktail, mélangez :

1 bouteille de Cognac
1 bouteille d'Apricot Brandy
1 bouteille de jus d'orange

Placez au réfrigérateur. Lorsque les invités arrivent, servez-leur 6 cl du mélange préparé à l'avance avec un glaçon dans une coupe à champagne ; complétez avec du champagne.

PRINCE OF ALES

2 cl de Curaçao
2 cl de Cognac
1 trait d'Angostura
Champagne ou mousseux
1/2 rondelle d'orange
1 cerise confite
1 petit dé d'ananas

Mélangez le curaçao, le cognac, l'angostura et des glaçons dans un mélangeur en argent ; complétez avec du champagne. Décorez avec les fruits sur une pique Cocktail.
Pour préparer 35 verres de ce cocktail, mélangez :

1 bouteille de Curaçao
1 bouteille de Cognac
1 cuillère à soupe d'Angostura

Placez au réfrigérateur. Lorsque les invités arrivent, servez-leur 4 cl de ce mélange avec un glaçon dans un verre ; complétez avec du champagne et décorez avec des fruits.

Les cocktails qui suivent seront servis dans des **verres à vin.**

KIR IMPERIAL I

2 cl de liqueur de framboises

Vin blanc ou champagne

Versez la liqueur de framboise, puis le vin ou le champagne.

KIR

2 cl de crème de cassis

Vin blanc frais

3 grains de raisin

Versez la crème de cassis, complétez avec le vin et décorez avec les grains de raisin.

BOWLS

Ces cocktails conviennent particulièrement bien pour les réceptions, car ils peuvent être préparés à l'avance. Avec une bouteille de vin et une bouteille de champagne (ou de mousseux), vous pourrez préparer 10 verres de 20 cl.

Fruits variés coupés en petits dés
(fraises, abricots, pêches, kiwi et melons
conviennent parfaitement)
2 cuillères à soupe de sucre
Jus de 2 citrons
8 cl de liqueur (selon les fruits)
1 bouteille de vin
1 bouteille de champagne
ou de mousseux

Mélangez les fruits avec le sucre, le jus de citron, la liqueur et le vin, et laissez macérer. Lorsque les invités arrivent, versez les fruits dans un verre à vin et complétez avec du champagne. Si vous souhaitez donner une pointe d'amertume à votre bowl, remplacez la liqueur par 8 cl de cognac (pas plus toutefois). Les boissons sans alcool sont considérées comme les parents pauvres des cocktails. Pourtant, de nombreux automobilistes - sans oublier les plus jeunes des invités - seraient ravis si vous prépariez quelques succulentes boissons de ce type, décorées avec imagination.

Vous pouvez par exemple les servir dans des verres originaux ; pensez aussi aux pailles, parapluies et autres accessoires. Vos hôtes ne regretteront pas une minute de n'avoir pas d'alcool dans leur verre.

Certains fruits, tels que les oranges et les pamplemousses, peuvent également faire d'excellents récipients. Evidez le zeste, faites en sorte qu'il tienne fermement, remplissez-le de glace pilée et versez lentement un sirop aromatisé. Nous vous recommandons tout particulièrement le sirop de menthe poivrée, d'abricot, de fruits de la passion ou bien encore de framboises. Servez avec une paille.

Voici quelques propositions de drinks très faciles à préparer.

MELON-MANDARINE

1 pastèque
1 melon
10 c. à soupe de sirop de mandarine
5 c. à soupe de sirop de citron vert
2 bouteilles de limonade

Enlevez la calotte du melon et de la pastèque. Enlevez les pépins à l'aide d'une grande cuiller et évidez la chair à l'aide d'une cuiller à glace. Déposez 4 boules par personne des deux fruits dans la pastèque évidée. Versez les sirops et remplissez de limonade.

La meilleure présentation consiste à poser les pastèques sur des assiettes recouvertes de serviettes, à moins que vous ne disposiez d'un plat adéquat. Les quantités indiquées conviennent pour une dizaine de personnes.

COCO CHANEL

5 cl de jus d'ananas
3 cl de jus de citron
4 cl de crème de coco
2 cl de sucre
Noix de coco râpée grillée

Mélangez les jus de fruits, la crème de coco et de la glace dans un robot ménager ; servez dans une noix de coco évidée, en parsemant de noix de coco râpée. Afin que la noix de coco ne se renverse pas, posez-la dans un grand verre ou dans un petit plat creux.

MENTH BLOSSOM

4 cl de sirop de menthe poivrée
3 cl de jus de citron
2 cl de sirop de sucre
Eau gazeuse
1 brin de menthe poivrée

Versez le sirop de menthe, le jus de citron et le sirop de sucre avec beaucoup de glace dans un grand verre ; complétez avec de l'eau gazeuse et décorez avec une paille et un brin de menthe fraîche.

HONG KONG

4 cl de sirop de mandarine
4 cl de jus de citron
10 cl de jus d'orange
2 cl de grenadine
1/2 rondelle d'orange

Mélangez soigneusement le sirop de mandarine, les jus de fruits et de la glace ; servez dans un grand verre en décorant avec la 1/2 rondelle d'orange.

FLORIDA

4 cl de jus d'orange
4 cl de jus d'ananas
2 cl de jus de citron
2 cl de grenadine
1/2 tranche d'ananas

Mélangez soigneusement les jus de fruits, la grenadine et de la glace ; servez dans un grand verre, en décorant avec l'ananas et une paille.

SPORT'S FLIP II

1 jaune d'œuf
1/2 banane
4 cl de jus d'orange
4 cl de sirop de banane
2 cl de jus de citron

Battez tous les ingrédients avec beaucoup de glace dans un robot ménager.

IRISH GREEN

1 kiwi pelé
3 cl de sirop de fruits de la passion
2 cl de jus de citron
2 cl de sirop d'aspérule
2 cl de sirop de sucre

Battez tous les ingrédients avec de la glace dans un robot ménager.

Vous obtiendrez un très beau résultat en servant ce cocktail dans un verre à vin au bord décoré de sucre vert.

FLIP + FLAP

1 jaune d'œuf

1 cuillère à café de café en poudre

2 cuillères à café de sirop de chocolat

1 verre de lait

Copeaux de chocolat

Battez le jaune d'œuf, le café, le sirop de chocolat, le lait et beaucoup de glace dans un robot ménager. Servez dans un grand verre en saupoudrant de copeaux de chocolat.

TOM DOOLY

2 cuillères à café de miel

2 cuillères à café de cacao

Lait froid ou tiède

Mélangez le miel et le cacao, puis remplissez le verre de lait.

BANANA SPECIAL

2 boules de glace à la banane

4 cl de jus d'ananas

Limonade

1 rondelle de banane

1 cerise confite

Déposez la glace dans un grand verre à pied; ajoutez le jus d'ananas et la limonade, et garnissez avec les fruits.

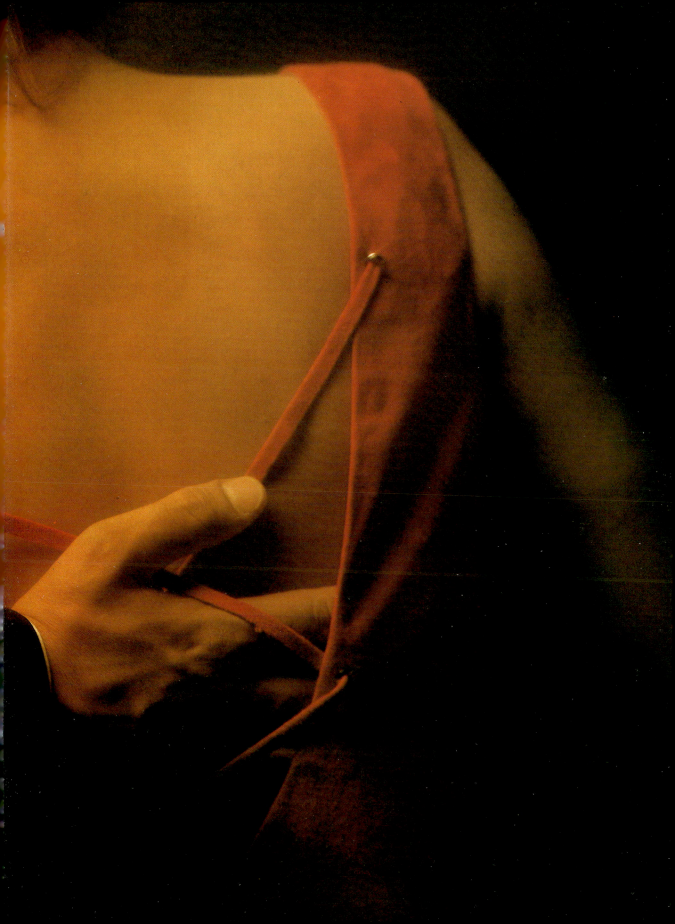

INDEX

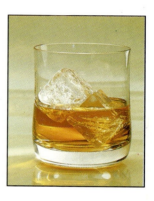

© 1987 by Falken-Verlag GmbH, 6272 Niedernhausen/Ts, R.F.A.
© 1987 pour l'édition française: Expodif, Courbevoie.
Adaptation française: Nicolas Blot.
Photocomposition: Esthète Graphique, Montreuil-sous-Bois.
Impression: Cronion, S.A., Barcelone, Espagne.
Tous droits réservés.
Dépôt légal: octobre 1987

ISBN 2-87677-010-5

Dep. Leg. B-38378-87